LA BANDE DES QUATRE

TOME

Catalogage avant publication de Bibliothèque et Archives nationales
du Québec et Bibliothèque et Archives Canada

Bergeron, Alain M., 1957-

   La Bande des Quatre
   Pour les jeunes de 10 ans et plus.

   ISBN 978-2-89591-240-8 (vol. 1)

   I. Gravel, François. II. Latulippe, Martine, 1971- . III. Mercier, Johanne. IV. Titre.

PS8553.E674B362 2015   jC843'.54   C2014-942821-9
PS9553.E674B362 2015

© 2015 Les éditions FouLire inc.
4339, rue des Bécassines
Québec (Québec)
G1G 1V5
CANADA
Téléphone : 418 628-4029
Sans frais depuis l'Amérique du Nord : 1 877 628-4029
Télécopie : 418 628-4801
info@foulire.com

Les éditions FouLire reconnaissent l'aide financière du gouvernement du Canada par
l'entremise du Fonds du livre du Canada pour leurs activités d'édition.

Elles remercient la Société de développement des entreprises culturelles du Québec
(SODEC) pour son aide à l'édition et à la promotion.

Elles remercient également le Conseil des arts du Canada de l'aide accordée à leur
programme de publication.

Gouvernement du Québec – Programme de crédit d'impôt pour l'édition de livres –
gestion SODEC.

IMPRIMÉ AU CANADA/PRINTED IN CANADA

LA BANDE DES QUATRE

TOME

ALAIN M. BERGERON ★ FRANÇOIS GRAVEL
MARTINE LATULIPPE ★ JOHANNE MERCIER

Je m'appelle Alex, mais je veux vous parler de Spatule, mon *alter ego*. Je dirais qu'il est moi, mais en meilleur. Laissez-moi vous expliquer le pourquoi du comment de la chose.

Je suis devenu Spatule l'été dernier. C'est le nom qu'on m'a donné à mon camp d'été. Je suppose que vous en devinez la raison : je ne déteste pas manger le matin, le midi et le soir, sans oublier quelques collations. Entretemps, il m'arrive de grignoter. Quand nous partions en excursion, j'étais souvent le cuisinier : de cette façon, les campeurs étaient certains de ne manquer de rien, et surtout pas de mes fameux biscuits aux brisures de moustiques.

J'ai de bons amis à l'école, mais cet été, j'ai découvert ce qu'était l'amitié.

Il y a d'abord Coccinelle.

Coccinelle connaît des centaines, des milliers, des millions de légendes : elle les invente à mesure, pour le plus grand plaisir des jeunes campeurs. Elle connaît aussi tous les mots futiles qui contiennent des w, comme *wombat, ewe, awale et wu*. Inutile de dire que personne n'ose la défier au scrabble. Au camp, elle était également notre championne de canotage.

Je veux dire par là qu'elle chavirait à tous coups ou presque. Quand on la suivait, on était assurés de rire.

Je ne sais pas combien elle pèse exactement (il paraît que ce n'est pas le genre de question qu'on pose à une fille!), mais je dirais que ses cheveux devaient compter pour au moins 10 pour cent de son poids: comme elle faisait du canot tous les jours, sa chevelure était TOUJOURS mouillée!

Il y a aussi notre Pinotte. Avec un surnom comme celui-là, vous devinez qu'elle n'est pas une lutteuse de sumo. Pinotte est minuscule, mais son service au badminton est dévastateur. Elle se promenait partout dans le camp avec son appareil photo. Clic par-ci, clic par-là, elle était comme un ressort sur deux pattes. Je me suis toujours demandé où elle trouvait son énergie.

Ringo complète le groupe. Malgré sa petite taille (il n'est pas beaucoup plus grand que Pinotte), Ringo est un vrai séducteur... du moins dans ses rêves! Ce qui est certain, toutefois, c'est qu'il est notre champion incontesté des jeux de mots débiles.

Cet été, nous étions quatre. Quatre comme les trois mousquetaires, comme les cinq doigts de la main et comme les sept jours de la semaine, tant qu'à faire. Quatre comme les doigts de Mickey Mouse. Quatre comme les 10 commandements, comme les buts comptés par Wayne Gretzky au cours de sa carrière, comme les grains de sable dans le Sahara et comme les étoiles dans un ciel d'été : nous étions quatre, mais nous étions aussi nombreux que nous le voulions quand nous inventions des histoires pour les jeunes campeurs, les soirs de feux de camp.

Quand l'automne est arrivé, nous sommes retournés chacun dans notre coin de pays : moi à l'Isle-aux-Grues, au milieu du fleuve, Coccinelle dans Charlevoix, Ringo à Victoriaville et Pinotte à Québec. Finis les feux de camp, la magie, la complicité, les jeux de mots débiles.

Finie la Bande des Quatre.

Ça, c'était vrai jusqu'à ce que Pinotte décide de nous brasser la cage. Nous n'étions pas aussitôt rentrés à la maison qu'elle nous envoyait un message auquel Ringo a répondu, puis Coccinelle, et ainsi de suite. La goutte d'eau a mis le feu aux poudres, a fait boule de neige et s'est transformée en avalanche en passant du coq au vin. Je me mélange peut-être dans mes expressions, mais l'essentiel était que mes amis étaient revenus dans ma vie !

DE: Pinotte

À: Coccinelle, Ringo, Spatule

Il m'arrive la pire des catastrophes! Je viens de
vider mes sacs et je ne trouve plus mon appareil
photo. Nulle part. On a fait le ménage de nos
huttes tellement vite avant de partir qu'un de
vous trois l'a peut-être mis par erreur dans ses
bagages? Ringo, c'est toi qui as pris la dernière
photo, sur la galerie, hier soir, avec la mouffette
empaillée. Te souviens-tu? Tout le monde était
flou, sauf la mouffette. On a fait quoi ensuite avec
l'appareil? Au feu de camp, je l'avais pourtant...
Non?

Je ne peux pas croire que j'ai perdu mes
1 256 photos du camp! Tous nos souvenirs de
l'été. C'est pas possible. Seulement une heure
qu'on est séparés et je m'ennuie déjà trop. Sans
mes photos, je suis perdue.

Sans vous trois, c'est pas pareil.

xxx

DE : Ringo

À : Coccinelle, Pinotte, Spatule

Salut Pinotte !

C'est moi qui l'ai, ton appareil photo ! Je m'en suis rendu compte quand ma mère a mis mes vêtements lavés dans la sécheuse. Ça faisait ke-kling-ke-klang.

Au bout d'une quinzaine de minutes de ke-kling-ke-klang, j'ai dû aller voir de quoi il en retournait (petite blague d'initiés de sécheuse).

J'ai trouvé ton appareil photo, un peu endommagé, mais au moins, il était sec…

Ah, même pas vrai ! Je ne l'ai pas. Peut-être du côté de Coccinelle (vous dormiez dans la même hutte) ou de Spatule (il ronflait dans la même hutte que moi).

Enfin, je ne veux pas m'excuser, sauf que si la dernière photo de groupe était floue, ce n'était pas ma faute ; c'est sûrement la mouffette empaillée qui a bougé et déréglé le zoom automatique.

Tu as pris 1 256 photos ? Eh bien, je pensais que c'était plus que ça ! Tu avais *toujours* ton appareil dans les mains. Tu photographiais même tes céréales le matin, au petit-déjeuner. Je crois que lorsqu'on mangeait des Alpha-Bits, tu mitraillais chacune des lettres!

Dis donc, ma Pinotte, les XXX, c'est pour moi tout seul? Je me sens assez généreux pour en laisser aux autres.

Eh non, malheureusement, je n'ai pas ton appareil.
Je voudrais bien. Je regarderais pendant des heures
chacune des photos, même celles des Alpha-Bits,
je pense!

Je crois que je suis malade. Depuis que je suis
arrivée chez moi, j'ai une grosse boule dans la
gorge. Et c'est votre faute! Vous me manquez
déjà beaucoup trop… À moins que ce soit ton
appareil photo qui y soit resté coincé, Pinotte?

Allez, faites-moi sourire… Ringo, raconte une
de ces blagues plates dont tu as le secret, s'il te
plaît! Spatule, envoie-moi ta recette la plus récon-
fortante, OK? Pinotte, déménage à côté de chez
nous, tu veux bien?

DE: Spatule

À: Pinotte, Ringo, Coccinelle

Ce n'est pas moi non plus qui ai ton appareil, chère Pinotte. J'ai cependant une théorie : il a sûrement été volé par des paparazzis qui voulaient se procurer des photos de Kiwi !

Je suis certain que ton moniteur préféré devait apparaître sur 90 % de tes photos, sinon plus. Kiwi de profil, Kiwi de face, Kiwi de trois quarts, Kiwi qui se regarde dans le miroir, Kiwi qui admire son biceps droit, Kiwi qui admire son biceps gauche, Kiwi qui se demande pourquoi il n'y a pas de biceps au centre, Kiwi qui admire ses quadriceps et qui se demande s'ils sont deux fois plus volumineux que ses biceps (la comprends-tu, Ringo ?).

Parlant de Kiwi, savez-vous d'où vient son surnom ? Est-ce à cause du duvet qui recouvre son menton ?

Sérieusement, as-tu pensé à poser la question au Vieux Hibou ? C'est ce que je ferais à ta place.

Avertis-nous si tu as des nouvelles, et si tu n'en as pas, avertis-nous quand même ! C'est le *fun* de savoir que vous existez encore !

P.-S. – Je ne ronfle jamais, Ringo. Tu as dû rêver à des ours, comme d'habitude !

DE : Ringo

À : Spatule, Coccinelle, Pinotte

Réglons une chose immédiatement : je connais
la différence entre le ronflement d'un ours et
celui de Spatule. Dans un premier temps,
l'ours sent bon…

Et j'ai une preuve que Spatule ronfle. En fait, je
pensais avoir une preuve… Spatule, je t'ai filmé
avec l'appareil de Pinotte pendant que tu dormais.
Et comme il y avait un clair de lune qui jetait une
faible lumière sur ton visage, on pouvait même
voir un filet de bave qui coulait sur ta joue ! Je
regrette seulement de ne pas t'avoir filmé
quand tu dormais le pouce dans la bouche !

Et j'imagine que si j'avais filmé notre Pinotte
en train de parler en dormant – n'est-ce pas,
Coccinelle ? –, on aurait compris qu'elle rêvait
certainement à ce fichu de Kiwi. Un vrai cauchemar, si tu veux mon avis, Spatule.

DE : Spatule

À : Ringo, Coccinelle, Pinotte

J'ai vérifié sur Google à propos de Kiwi. En plus d'être des fruits poilus, les kiwis sont des oiseaux incapables de voler. C'est sûrement de là que vient le surnom du moniteur préféré des filles : son esprit ne vole pas très haut !

Plutôt que de répandre des rumeurs malveillantes à propos du doux ronron que tu confonds avec des ronflements, Ringo, explique-moi donc plutôt ce que les filles trouvaient à ce Kiwi ! Rêvez-vous à lui depuis que le camp est fini, Coccinelle et Pinotte ?

Ah, ah ! On tient le coupable ! Pas besoin d'être un grand détective pour deviner que c'est Spatule qui a fait le coup ! (Allez, avoue, Spatule, tu as découvert que Ringo t'avait filmé en train de baver sur ton sac de couchage et tu as fait disparaître «malencontreusement» l'appareil de Pinotte !)

Quant à savoir si Pinotte jase à voix haute la nuit... tu parles, Ringo ! Elle n'arrête pas ! J'étais si épuisée de l'entendre jacasser que je dors depuis mon retour pour récupérer... Mais Pinotte est ma meilleure amie, alors je ne vous révélerai jamais ce qu'elle marmonne dans son sommeil, pas même sous la torture...

Bon, peut-être sous la torture.

Qui sait ? Je pourrais même vous le confier si vous insistez...

Quoi ? Vous insistez ? Pas le choix, Pinotte, désolée ! Je dois le dire... juste un peu, je te rassure ! ☺

Ce que Pinotte répète le plus souvent la nuit, c'est : «Je l'ai ! Il est à moi !» Elle ne parle d'aucun de vous, les gars. Juste du moineau, car elle rêve constamment de badminton.

Eh oui. Tout simplement. Pas question du beau Kiwi (bande de jaloux!). Je le jure sur mon t-shirt du camp. Oui, oui, celui que j'ai tellement porté, que je ne voulais pas quitter et qui était si sale que je n'arrivais plus à le plier!

Bon, pendant que vous riez tous les trois, moi, je vis les pires drames. D'abord, Spatule, j'ai écouté tes conseils. J'ai téléphoné au camp. Et devinez sur qui je suis tombée ? Miss Mimosa ! Ha ! ha ! Elle est encore là avec son rhume des foins et sa boîte de mouchoirs, dans son petit bureau ! Voici à peu près la conversation que j'ai eue avec elle :

Moi : Je pense que j'ai oublié mon appareil photo au camp.

Mimosa : Un appareil numérique ?

Moi : Ben... oui !

Mimosa : Dans un étui ?

Moi : Ouiiii !

Mimosa : Noir ?

Moi : Exactement !

Mimosa : En cuirette ?

Moi : Daaaah ! C'est trop génial !
Vous l'avez trouvé ?

Mimosa : Non.

Je n'ai plus d'espoir. Et moi, quand j'ai zéro espoir, je ne vais pas bien.

Et puis, j'ai essayé ta recette de biscuits, Spatule. J'ai expliqué à ma famille pourquoi on les appelait biscuits aux moustiques, mais personne n'a ri. Pire, je les ai ratés, les biscuits. Rien à voir avec les tiens. Ai-je mal noté les ingrédients ? Est-ce que tu as fait exprès pour ne pas nous donner la bonne recette parce que tu veux qu'on s'ennuie ?

Ou alors, comme le dit ma mère, tout est meilleur quand on est au camp. Moi, je dis que tout est pas mal plus drôle en tout cas.

Écrivez-moi. Souvent. Tout le temps.

DE : Spatule

À : Coccinelle (et aux autres)

Sache que je ne suis pas jaloux DU TOUT de Kiwi. J'ai autant de muscles que lui : 639 !

J'ai une solution au problème de Pinotte : pourquoi ne pas remplacer les photos par des photos-mots ? Vous savez, ces photos qui restent dans notre tête depuis notre retour du camp…

De mon côté, j'en ai des milliers qui se bousculent quand je pense à vous : Coccinelle qui a un pied dans le canot et un pied sur le quai (photo 456), Coccinelle qui porte fièrement un nénuphar sur sa tête (photo 3 467), Ringo qui grimpe sur une chaise parce qu'il a aperçu une couleuvre (photo 56), Ringo qui marche comme un babouin pour imiter Kiwi (photo 12 123), Pinotte qui soupire en rêvant à Kiwi (photos 23, 457, 594, et de 4 234 à 8 767, et de 8 968 à 12 121).

Plus sérieusement, il y a deux photos qui me reviennent à la mémoire quand je me rappelle l'été.

La première est celle d'un feu de camp, le tout dernier. J'ai bien essayé de le cacher en faisant des blagues au détriment de ce pauvre Ringo, mais j'avais le cœur gros.

La deuxième photo est encore celle d'un feu de camp. Celui-là était au lac Perdu, où nous avons fait notre première expédition. À mon avis, c'est là que nous sommes devenus la Bande des Quatre. Y repensez-vous souvent, vous aussi?

DE: Coccinelle

À: Pinotte, Ringo, Spatule

Tu as raison, Spatule, c'est bien ce soir-là que tout a commencé.

On venait d'arriver au camp. Lors du feu sur le bord du lac Perdu, les aspirants moniteurs ne se connaissaient pas beaucoup encore. La discussion n'était pas facile…

À ma droite, deux filles parlaient de leurs marques de vêtements préférées. À ma gauche, deux gars commentaient tous leurs profs. Pffft… venir dans un camp pour parler d'école et de magasinage !

Comme ça m'arrive souvent, j'avais l'impression d'être une extraterrestre. De ne pas être comme les gens autour. De débarquer d'une autre planète. (J'ai souvent cette impression, dans ma famille ou à l'école, par exemple. Pas vous ?) J'ai regardé autour de moi. Pinotte, assise sur une pierre plate, semblait aussi perdue que moi. À côté d'elle, Spatule et Ringo étaient installés sur un billot, sans dire un mot. Trois extraterrestres.

Je me suis approchée, j'ai demandé :

– Connaissez-vous la légende de la Dame blanche ?

Vous avez fait signe que oui, avec des sourires complices. J'ai insisté :

– Celle de Marie-Noire aussi ?

Vous avez fait signe que non. Vos yeux se sont agrandis. Ils brillaient dans la nuit. Il faisait noir, le feu crépitait, on s'est raconté des légendes pendant des heures.

On n'a plus reparlé à personne d'autre ce soir-là.

On venait de comprendre qu'on était de la même planète, tous les quatre.

DE: Ringo

À: Coccinelle et aux autres

Il suffit que je m'éloigne quelques jours de mon ordinateur pour que vous racontiez des histoires… D'abord, je n'ai pas peur des couleuvres, j'ai peur des serpents. Nuance! Une couleuvre, c'est *cool*! Ça s'entend d'ailleurs: *COOL*euvre! Avouez que vous vous êtes ennuyés de mes sssssssuper jeux de mots (je viens d'en faire un autre, j'esssspère que vous ne l'avez pas raté)! Il faisait sombre à ce moment-là, j'ai donc cru qu'il s'agissait d'un serpent cracheur de venin. Je voulais vous mettre hors de sa portée.

Coccinelle, on voit bien que tu n'es pas dans la tête des gars… Si on ne disait pas un mot avec Pinotte à nos côtés, c'est parce que Spatule était trop gêné pour lui adresser la parole. Et moi, je faisais preuve de solidarité masculine. Mais quand tu es venue nous parler, si on avait les yeux brillants, si on avait un sourire complice, c'est parce qu'on était contents (et soulagés) qu'une fille accepte ENFIN de nous parler! Tu vois, dans mes souvenirs, il était question de la légende de la Dame en bleu avec ses loups et son vin… Marie-Noire, dans ma mémoire, c'était plutôt Marée-Noire ou le naufrage d'un cargo rempli de pétrole sur le lac… Or, comment ce navire monstrueux était-il parvenu à se rendre jusqu'à cette étendue d'eau? Alors, ça, c'est un mystère digne d'une légende. D'où les extraterrestres… Vous vous souvenez de cette lumière intrigante dans le ciel?

Parole de gars, on est devenus la Bande des Quatre après l'ascension du mont jusqu'à la caverne du mort.

Dis donc, Coccinelle, pourrais-tu nous rappeler l'histoire de Marie-Noire? Ta version? Parce que je vais garder ma petite sœur et ses amis bientôt et que j'aimerais bien leur flanquer une frousse… Tu sais, dans le genre: «Si vous êtes trop tannants, Marie-Noire va venir vous hanter!» Ça devrait les calmer pour quelques heures.

Merci à l'avance!

DE : Coccinelle

À : Ringo (et Pinotte, et Spatule !)

Te rappeler Marie-Noire pour terroriser ton adorable petite sœur ? Oh non ! Je l'aime bien, moi, ta petite sœur...

C'est une campeuse qui me fait beaucoup rire et, surtout, qui n'hésite pas à me raconter qu'il t'arrive, la nuit, de dormir avec un vieux toutou de Winnie tout usé...

Elle m'a aussi confié qu'elle t'avait surpris en train de pleurer à chaudes larmes devant le film *Mon ami Willy*...

J'ai encore à ton sujet des dizaines et des dizaines d'anecdotes aussi intéressantes grâce à elle... Pas question que je brûle cette précieuse source !

DE : Pinotte

À :   Vous trois

Hé ! j'ai une super idée ! On se parle en presque vrai sur Skype ! Ce soir, 8 heures, ça vous va ?

DE : Ringo

À : Vous trois

OK pour moi ! Super idée, super Pinotte !

DE: Coccinelle

À: Vous trois

OK pour moi aussi! J'ai hâte!

DE : Spatule

À : Vous trois

Ne comptez pas sur moi : la connexion Internet est super lente sur l'Isle-aux-Grues. On pourrait cependant se reprendre la semaine prochaine : mardi soir, je serai chez mon cousin, à Montmagny.

DE : Pinotte

À : Ringo et Coccinelle

Bon, est-ce qu'on fait un Skype à trois ou…

DE : Ringo

À : Vous autres

Désolé, ça ne fonctionne pas pour moi non plus. Mon père vient de rentrer à la maison en affirmant qu'il avait besoin de l'ordinateur pour son travail et il en a pour la soirée. Il a dit pour la nuit, mais entre nous, il exagère tout le temps.

Peut-être mardi prochain. Mais je ne peux rien promettre. C'est compliqué chez nous : un seul ordinateur pour tout le monde (pas de tablette numérique). Pas un portable, évidemment : une tour ! Et c'est d'une lenteur exécrable. J'essaie de convaincre mes parents d'en acheter un neuf, mais ils sont du genre à attendre que quelque chose brise avant de le remplacer.

DE : Pinotte

À : Vous autres

Bon, un petit Skype à deux, Coccinelle… ?

DE: Coccinelle

À: Vous trois

Impossible pour moi ce soir… Désolée! La voisine vient d'appeler pour me demander d'aller garder. Pas pu refuser!

Mardi prochain sans faute!

DE : Pinotte

À : Vous autres

Aaargh ! Pas possible, pour moi, le mardi.
Je reviens trop tard des entraînements.

DE : Coccinelle

À : Vous zôtres

Bon, tant pis pour cette fois. On remet ça pour Skype.

Je n'ai pas oublié le premier feu de camp de la première expédition au bord du lac Perdu. Vous vous souvenez de la phrase que j'ai dite à la toute fin de la soirée, après le récit palpitant des légendes? J'ai demandé si quelqu'un connaissait l'histoire de la grosse oreille. Mes cinq petites minutes de gloire ont suivi.

Je pense comme toi, Ringo. C'est l'expédition à la caverne du mort qui nous a liés pour la vie.

Aaaaaaaaaaaah! (Cri de désespoir.) Dire que j'avais des photos de l'intérieur de la caverne et de nous quatre, dont une prise tout juste avant ma chute spectaculaire! Aucune photo de Kiwi qui m'a sauvé la vie de manière chevaleresque, cependant…

Vous savez quoi? La nuit, il m'arrive d'apercevoir l'ombre de Marie-Noire sur le mur de ma chambre. L'ombre de la grosse oreille aussi…

DE: Spatule

À: Vous trois

Quand je regarde des films avec mes parents,
je les observe parfois sans qu'ils s'en aperçoivent,
et c'est plus intéressant que le film lui-même !
Mon père a déjà fait de la lutte professionnelle,
comme je vous l'ai dit au camp. Il est vraiment
énorme. Ça ne l'empêche pas de vider une boîte
de Kleenex chaque fois qu'il regarde un film
un peu triste. S'il y a en plus des animaux, il faut
essorer les tapis. Pour les films d'action, c'est
plutôt ma mère qu'il faut fixer : elle a la bouche
ouverte du début à la fin !

Tu as raison, Coccinelle : mes yeux se sont agrandis quand je t'ai entendue raconter l'histoire de
Marie-Noire. Ce n'était cependant pas l'histoire
elle-même qui m'a estomaqué (même si elle était
excellente !), mais le plaisir que tu avais à la raconter, et le plaisir encore plus grand que je lisais dans
les yeux de Ringo et de Pinotte.

À mon avis, c'est à ce moment-là que nous
sommes devenus la Bande des Quatre. J'ai senti
que mon vaisseau spatial s'était enfin posé parmi
les miens.

Je ne sais pas de quelle planète on vient au juste,
mais ses habitants devaient se nourrir d'histoires

autant que de biscuits aux moustiques et de hamburgers aux boulettes de crapaud!

L'ascension du mont jusqu'à la caverne du mort a été une expérience éprouvante, bien sûr, mais nous étions la Bande des Quatre avant de partir. Cette aventure n'a fait que nous unir encore plus.

Est-ce que je peux vous faire une confidence? Je me suis senti obligé d'entrer le premier dans cette grotte pour faire le brave, mais j'avais les jambes en guenille!

N'importe quoi! Coccinelle, je suis vraiment
déçu que tu ne veuilles pas me raconter dans
le détail la légende de Marie-Noire. Ne te fie pas
aux airs angéliques de ma sœur. Elle devient
un petit diable dès que tu as le dos tourné. Alors,
s'il te plaît, peux-tu nous la raconter de nouveau?
Promis, je ne l'utiliserai pas contre ma sœur et
ses horribles petits amis... Mais comme j'ai un
travail scolaire à faire là-dessus, ça me serait utile.
Et essaie de ne pas faire de fautes, ça m'enlèverait
des points. Enfin...

Ma petite sœur t'a induite en erreur: ce n'est pas
vrai que j'ai pleuré pendant le film *Mon ami Willy*.
J'avais des problèmes d'allergie, encore une fois
(probablement mon allergie aux petites sœurs
tannantes et insupportables). Vous vous souvenez
à quel point je pouvais souffrir d'allergie au cours
de l'été?

Et je ne dors pas avec un vieux toutou nommé
Winnie. Voyons, pour qui me prends-tu? Je n'ai
pas de toutou recousu de partout, avec un œil
manquant, qui a survécu à des torrents de bave
de petite sœur et que j'ai nommé Winnie, bon!

Spatule, mon grand ami, je ne suis même pas étonné que tu aies eu les jambes en guenille en pénétrant dans la fameuse caverne du mort. L'ascension de la montagne, à elle seule, était déjà pénible. Tu te rappelles le passage des gros rochers, aux côtés tranchants, sur lesquels on devait grimper pour accéder au plateau suivant? C'était carrément dangereux. Et très plaisant aussi: les filles pouvaient s'agripper à moi pour ne pas tomber! Il y a pire expérience dans la vie! Je trouve que notre Pinotte m'a tenu la main assez longtemps, merci à elle!

Et si tu as été le premier à t'avancer dans la grotte, si tu t'es senti obligé de le faire, c'est peut-être aussi parce que je t'ai poussé un peu...

Je sais que Kiwi voulait nous empêcher d'y aller... Ce n'était pas seulement pour notre sécurité, mais surtout à cause de son orgueil démesuré. Je suis convaincu qu'il souhaitait être le seul à pouvoir se vanter d'être monté là-haut. Ça aussi, c'est n'importe quoi! Il n'avait même pas de preuve, pas de photos... Juste sa parole.

Au moins, nous, on a pris des photos... Raison de plus pour retrouver ce fichu appareil!

J'y reviendrai pour la caverne du mort et la prétendue opération de sauvetage de Kiwi auprès de Pinotte. Si tu as failli tomber, Pinotte, c'est justement en raison de son arrivée inopinée sur les lieux. Il était tellement fier de nous prendre sur le fait. Lui, chevaleresque? Laissez-moi hennir!

Je dois vous quitter, je vais me prélasser dans le bain avant que ma mère ne me passe un savon.

Coccinelle, ne m'oublie pas. Je dois remettre mon travail la semaine prochaine.

DE : Coccinelle

À : Ringo (et aux deux autres !)

Bon, puisque tu insistes, Ringo, voilà…

La Marie-Noire est un personnage qui hante
le Québec depuis des années. On raconte qu'elle
est très dangereuse… Elle apparaît ici et là dans
la province chaque fois que QUELQU'UN ESSAIE
DE TRICHER ! Alors… BOUH ! Fais attention à toi,
Ringo, elle est sûrement dans ta chambre à l'heure
qu'il est ! Elle est peut-être cachée dans ta pen-
derie… Ou alors elle est sous ton lit, avec ton
vieux toutou qui a un œil manquant et qui ne
s'appelle pas Winnie, attendant patiemment
que tu t'endormes pour s'en prendre à toi…

Mouahahahaha !

Pas question que je fasse tes devoirs à ta place,
tu sauras !

P.-S. – Petite cachottière, Pinotte ! Tu ne m'avais
pas mentionné que tu avais tenu longtemps
la main de Ringo…

Moi, j'aurais tenu la main de Ringo dans la grotte ?
C'est la meilleure ! Excuse-moi, mon petit Ringo
que j'aime, mais ton imagination est débordante !
C'est toi qui as failli broyer mes phalanges, phalan-
gettes et phalangines tellement tu avais peur. C'est
toi qui me soufflais des phrases réconfortantes du
genre : « C'est la fin, Pinotte. Je le sens. On est
foutus. On va tous mouriiiir ! »

Moi, je dis que si Kiwi n'était pas arrivé, on y serait
encore, dans la grotte.

En passant, petite question : quelqu'un aurait
l'adresse courriel de Kiwi ? Vraiment pas ce que
vous pensez. C'est pour mon appareil photo.

Des fois que…

DE : Ringo

À : Pinotte

Je l'ai, moi, l'adresse courriel de ton Kiwi, c'est :
jesuisunenouille@idiot.com

Je connais une autre version de l'histoire de Marie-Noire : il était une fois une princesse qui s'était associée à la belle et blonde Cyndy (qui portait toujours de faux ongles mal assortis) pour déloger Élodie (celle qui avait des frisottis), avant d'écarter Sandy (qui avait les cheveux teints et deux kilos de trop) pour conquérir le beau Yannick, le pompier qui était très fier de ne pas avoir de poils sur la poitrine. Le véritable titre de cette histoire est *Trahison double*. Si ça t'intéresse, Ringo, tu peux voir de nouveaux épisodes chaque soir à la télévision.

Tu as raison, Pinotte : il y a de fortes chances que Kiwi t'ait piqué ton appareil. Il a probablement choisi toutes les photos où il apparaissait et les a imprimées pour en faire des affiches qui tapissent maintenant sa chambre. Pour ce qui est des autres… « Quelles autres ? » te répondrait-il.

Sérieusement, j'aimerais vous reparler de cette histoire de la grotte. Kiwi ne nous a jamais empêchés d'y aller, Ringo ! C'est le contraire ! Il nous a plutôt nargués en disant que nous ne serions pas capables de grimper cette paroi, sachant très bien que nous relèverions le défi. C'était d'ailleurs totalement irresponsable de sa part de nous laisser partir. Trouvez-vous normal qu'il nous ait suggéré de nous lancer dans cette aventure au début du camp, sans nous connaître, sans rien savoir de nos capacités physiques et sans nous prévenir des dangers qui nous guettaient?

Je soupçonne que c'était un coup monté pour que nous ayons besoin de lui. L'occasion était trop belle de sortir son attirail du parfait sauveteur de montagne, avec ses cordes et ses mousquetons, pour jouer le preux chevalier venu sauver la pauvre princesse Pinotte.

Pour être honnête, je dois avouer qu'il m'a impressionné quand il a descendu Pinotte en moulinette. Vous vous souvenez, il répétait deux ou trois fois chacun des mots techniques qu'il employait, histoire de bien nous écraser de sa supériorité: mousquetons, mousquetons, moulinette, moulinette, moulinette…

Si vous me traitez de jaloux, sachez que vous avez bien raison!

P.-S. – Tu as tout compris, Coccinelle: le toutou de Ringo ne s'appelle pas Winnie. Je connais son véritable nom, mais je ne trahirai pas mon ami en vous le révélant!

Ce que je peux vous dire, cependant, c'est que Ringo s'est fabriqué une poupée vaudou à l'effigie de Kiwi!

C'est vrai que ce n'était pas très responsable de la part de Kiwi de nous laisser y aller, je l'avoue (il n'en est pas moins beau pour autant). Avec du recul, je me demande toutefois si c'était si dangereux. Grimper jusque-là était impressionnant, bien sûr, mais dans la grotte, en fait, on n'a rien vu ! Notre imagination a tout fait ! Kiwi nous a dit que c'était plein de chauves-souris, d'où les cris éplorés de princesse Pinotte (j'adore ! On dirait un personnage de Super Mario !). Kiwi nous a dit qu'il y avait, au fond de la grotte, un précipice de plusieurs mètres, d'où mes cris éplorés à moi, mais à cause de la noirceur, on n'a rien vu non plus. Kiwi a rapporté que plusieurs randonneurs n'étaient jamais revenus de cet endroit, d'où la main de Ringo qui ne voulait plus lâcher Pinotte, mais on n'a toujours aucune preuve… Quant à toi, Spatule, avoue que ce qui te terrifiait le plus, c'était l'idée de manquer l'heure du souper et de passer sous la table !

Est-ce que notre beau chevalier (notre superbe chevalier, devrais-je dire, pas vrai, Pinotte ? ;-) aurait un peu exagéré pour avoir le plaisir de jouer au héros ?

Ce qu'on voit est souvent moins effrayant que ce qu'on imagine…

Et puis, c'était bien plus amusant de relater des péripéties dignes d'Indiana Jones à nos campeurs! Entre vous et moi, chaque fois qu'on a raconté cet épisode, on en a rajouté un peu…

Impossible pour moi de passer sous la table, chère Coccinelle : il n'y a pas assez d'espace !

Vas-tu bientôt nous dire que la grotte n'était qu'une fissure et la paroi un muret ? La montagne était un caillou, tant qu'à faire ?

C'est vrai que nous en avons rajouté quelques couches pour nos campeurs, par contre. Et c'est ce que j'ai tout de suite aimé : notre capacité de tout transformer en histoires, et tant pis (ou tant mieux !) si on exagère !

Au fait, Ringo, il n'y a pas de chauves-souris vampires au Québec !

DE: Princesse Pinotte

À: Coccinelle

J'ai l'adresse de Kiwi depuis deux jours. Je suis incapable de lui écrire. J'ai trop le trac. Je veux seulement lui demander s'il a trouvé mon appareil.

J'ai recommencé 40 fois. Rien envoyé. Mais chuuut! Pas un mot à Spatule et à Ringo!

Je m'ennuie de nos conversations, dans le noir, dans la hutte, quand tout le monde dormait, sauf nous deux…

DE: Ringo

À: Vous autres

Coudonc, est-ce mon imagination qui me joue des tours? Ou alors mes souvenirs qui se mélangent en raison de la distance et du temps? La caverne du mort n'avait rien d'une fissure dans le rocher: on pouvait s'y tenir debout sans peine. Elle était également profonde et… caverneuse comme la voix de Spatule! (Ça, c'est une bonne blague: une grotte caverneuse!) Mon humour ne cesse de stalagmiter…

Des chauves-souris vampires? Ça aurait ajouté du mordant à notre expédition. Bien entendu, il n'y en a pas ici. Mais Kiwi nous a mis ça en tête pour nous faire peur. Ça n'a pas réussi, non, du tout! Le fait que j'aie porté une gousse d'ail autour de mon cou, cette journée-là, n'était que pure coïncidence. Le crucifix dans ma poche aurait fait le travail.

En passant, vous connaissez la blague de la chauve-souris qui dormait et qui a fait pipi au lit? Une fois, c'était une chauve-souris qui dormait et qui a fait pipi au lit… Je la ris encore!

Je le répète, ce Kiwi était une calamité. Beau, tu as dit, Coccinelle? Je devrais te prêter mes petites lunettes pour que tu y voies plus clair. Est-ce que le derrière d'un babouin est beau? Si tu réponds oui, alors, la comparaison sera bonne. Je ne peux pas croire qu'une fille veuille devenir la «babouine» de ce babouin! Il y a de quoi faire la baboune!

Je rappelle que j'ai vraiment tenu la main de Pinotte et qu'elle tenait la mienne, même après le vol des chauves-souris au-dessus de nos têtes. Tu hurlais, Pinotte, en te recroquevillant: «Non, je ne veux pas avoir un casque de bain!» J'essayais de te rassurer: les chauves-souris ne se collent pas aux cheveux des personnes. C'est une légende urbaine. Je craignais davantage le guano (vous savez, cet horrible truc blanc qu'expulsent les chauves-souris?) que l'effet casque de bain.

Spatule, peux-tu m'écrire en privé? Je souhaite te parler de quelque chose...

DE : Spatule

À : Vous, les zolibrius

Ce soir, 8 heures, un Skype ? Je serai chez mon cousin !

DE : Ringo

À : Vous trois

Yesss !

DE: Coccinelle

À: Vous trois

OK pour moi!

DE: Pinotte

À: Vous trois

Nooooooon! J'ai lu votre message trop tard.
Avez-vous fait un Skype sans moi?

DE: Coccinelle

À: Vous trois

Franchement, Pinotte, bien sûr que non! On remet ça pour Skype!

DE : Coccinelle

À : Pinotte

Salut, ma belle Pinotte !

Tu as l'adresse de Kiwi ? Profites-en pour ouvrir ton jeu ! C'est bien moins gênant qu'en personne ou au téléphone, tu es derrière l'écran, il ne te voit pas et ne t'entend pas. Allez, montre-lui qu'il ne te laisse pas indifférente. Bon, qu'il t'empêche de dormir serait plus juste !

Écris-lui : « Cher Kiwi… »

Ou mieux : « Mon cher Kiwi… »

Encore mieux : « Mon beau Kiwi… »

Non, attends, je l'ai : « Irrésistible Kiwi, aurais-tu mon appareil photo ? » ☺

Tiens-moi au courant !

Moi aussi, je m'ennuie de toi. Beaucoup trooooooooooooooooop.

DE : Pinotte

À : Coccinelle

Irrésistible Kiwi… Ha ! ha ! ha !

Jamais.

DE: Coccinelle

À: Pinotte, Ringo, Spatule

Franchement, Ringo, c'est quoi, ces gros secrets-là?
Demander à Spatule de t'écrire en privé… Pffft…
Pinotte et moi, on n'oserait jamais s'écrire en privé,
toutes les deux!

DE: Ringo

À: Coccinelle, Spatule, Pinotte

Hé! les filles! C'est des histoires de gars et ça ne vous intéresserait pas! On a le droit de jaser entre nous, non? Je peux bien croire qu'on est la Bande des Quatre, mais il y a certains sujets qu'il est préférable de discuter au masculin seulement. De toute façon, comme mon père le dit à ma mère: «Les femmes, vous venez de Mars, et nous, les hommes, on vient de Pluton!»

Euh... je ne suis plus certain du nom des planètes, mais il me semble que c'était ça et que ça faisait image dans ma petite tête. Bref, vous n'y comprendriez rien!

DE: Spatule

À: Ringo

???

DE : Ringo

À : Spatule

Rien de particulier à te déclarer. Je voulais que
tu m'écrives en privé simplement pour intriguer
Coccinelle et Pinotte. Les filles, ça veut toujours
tout savoir. Parfois, elles sont de véritables fouines.
Cela dit et écrit entre nous, bien sûr !

DE : Pinotte

À : Coccinelle

Euh… les gars font semblant d'avoir un secret
ou ils mijotent vraiment un plan ? Bof. Au fond,
je m'en fous.

Mais… d'après toi ?

DE: Coccinelle

À: Pinotte

Ils font semblant, c'est sûr.

Je pense, en tout cas.

Il me semble.

Non?

DE : Spatule

À : Ringo

Ouf ! J'avais peur que tu me demandes des trucs pour séduire Pinotte ! J'aurais été bien mal pris pour te répondre. Mon expérience en cette matière est assez limitée. J'ai eu quelques centaines de blondes, c'est vrai – j'en avais parfois deux ou trois en même temps –, mais seulement dans mes rêves.

Il paraît que le meilleur truc avec les filles, c'est de les faire rire. Ça ne m'a jamais posé de problème. C'est après que ça se complique !

Bonne chance avec ta nouvelle tactique, mystérieux Ringo !

DE : Ringo

À : Spatule

Mais, Spatule, qu'est-ce qui te permet de croire
que j'aimerais séduire Pinotte? Et pourquoi pas
Coccinelle? Parce qu'elle est plus grande que
moi? Ben... tu as totalement raison! Je devrais
rembourrer mes semelles pour être à la hauteur
de Coccinelle. Alors que pour Pinotte...

Tu n'as pas oublié que Kiwi voulait nous donner
des trucs pour charmer les filles? Dans sa bonté
infinie, ce bienfaiteur de l'humanité (selon lui) était
prêt à nous montrer l'abc de la séduction. Là où ça
ne marchait plus pour moi, c'est qu'il voulait utiliser Pinotte comme cobaye! Non, môssieur! Je lui
ai suggéré miss Mimosa et il a refusé! Pourquoi?

Entre nous, j'ai raté mon coup avec Pinotte, au
milieu de l'été, quelques jours avant l'épisode de
la visite à la caverne du mort. Il y avait une araignée
qui montait sur son épaule. Pour ne pas l'effrayer
(je parle de l'araignée), j'ai posé délicatement ma
main sur son épaule (de Pinotte; tu sais bien que
si j'avais posé ma main sur l'épaule de l'araignée,
elle aurait été écrapoutie) et je l'ai laissée grimper.
Puis, j'ai retiré ma main pour montrer mon geste
héroïque à Pinotte. Elle a été tellement surprise
qu'elle a frappé dans ma main pour écraser la
pauvre araignée.

Elle s'est excusée – c'est à l'araignée qu'elle aurait dû s'excuser, mais il était trop tard pour elle – et a rigolé un peu. J'ai aussi rigolé un peu. Nos regards se sont soudés…

Et là, Kiwi s'est interposé en disant : « Je dois vous parler de la caverne du mort. »

Le charme était rompu et je suis retourné à ma hutte avec mon petit bonheur.

En m'éloignant, je les entendais rire tous les deux.

Fichu Kiwi.

DE: Coccinelle

À: Pinotte, Ringo, Spatule

Je suis désolée de couper nos discussions sur nos
souvenirs au camp (et tes «profondes» réflexions
sur les différences homme-femme, Ringo…), mais
il faut ABSOLUMENT que je vous raconte ce qui
m'est arrivé aujourd'hui!

Ce matin, la voisine d'à côté vient me voir, mine
de rien, et me demande:

– Tu aimes les enfants, pas vrai, Coccinelle?

(Bon, elle ne m'a pas appelée Coccinelle, évidemment, c'est juste pour que vous suiviez
bien l'histoire.)

J'ai répondu oui. Alors, la rusée ajoute:

– Il paraît que tu as travaillé dans un camp de
vacances, cet été?

J'ai encore répondu oui.

(Bon, je sais, je n'y travaillais pas vraiment, je suivais
une formation d'aspirante monitrice, mais on ne va
pas jouer sur les mots!)

(Et puis, *let's go, gang*, si vous n'arrêtez pas de m'interrompre, on n'y arrivera jamais! ☺ Allez, je continue!)

Là, la voisine attaque:

– J'aimerais beaucoup que tu viennes animer la fête de mon adorable petite Sophie-Laure.

Précision: à part moi, personne dans le quartier ne veut la garder tellement elle est adorable… Pendant que je cherchais comment refuser, la voisine a conclu:

– Super! On t'attend à 14 heures.

Je n'étais pas emballée, mais bon: une partie de mouchoir, un brico pas compliqué et hop! ce serait terminé. Tout le monde serait content.

À 14 heures, je traverse chez la voisine, qui m'accueille en me disant:

– Ton costume est sur le lit.

Quoi? Un costume? Il n'a jamais été question de costume… J'ouvre la porte de la chambre et je découvre… un costume de clown! NOOOOOOOOOOOOOOOOOOOOON!

Je sais, n'importe quelle personne normalement constituée se serait enfuie en courant, mais j'ai du mal à décevoir, vous me connaissez, alors croyez-le ou non, j'ai mis le costume. Pire : la voisine m'a maquillée en clown.

Je suis allée auprès des enfants. J'ai essayé de jouer au mouchoir, mais ça courait partout en hurlant, ça riait, ça pleurait, l'adorable Sophie-Laure n'arrêtait pas de me tirer par la manche en s'exclamant : « Fais-nous rire, le bouffon ! T'es même pas drôle ! » Bref, des heures de plaisir. Chaque fois que j'étais sur le point de partir, la voisine intervenait : « Mais non, le clown va bien rester pour le gâteau ! Mais voyons, le clown ne peut pas partir avant les cadeaux… »

La bonne nouvelle, c'est que quand j'ai commencé à pleurer de découragement, ça n'a même pas paru tellement la couche de maquillage que m'avait mise la voisine était épaisse…

Je me remets tranquillement de mes émotions et je tenais à vous donner un conseil très avisé : si une voisine vous demande si vous aimez les enfants, dites non. C'est un piège.

DE : Pinotte

À : Ma gang

Coccinelle, t'aurais dû raconter aux jeunes
une légende qui fait peur. Imagine un clown
multi-colore qui parle de Marie-Noire devant
des petits enfants qui rient jaune.

(Misère… C'est moi ou c'est l'humour de Ringo,
ça ? Nooooon ! Pas l'humour de Ringooooo !
Au secours ! Mauvaise influence.)

Bon, je vais souper !

DE: Ringo

À: Vous autres

Alors, ça, c'est une bonne nouvelle! Si tu as mon humour, ma petite Pinotte d'humour, c'est bon signe! Heureusement que tu n'as pas le sens de l'humour de Kiwi.

Merci pour ta tranche de vie, Coccinelle, mais tu as oublié l'essentiel. C'est mignon, les enfants, la chanson, le gâteau, la petite histoire. Je suis convaincu que tu vas y retourner. D'ailleurs, si jamais tu viens dans mon Victoriaville, avertis-moi: je pourrai programmer ta venue avec un mégamarathon de gardiennage dans le quartier, notamment pour ma petite sœur et ses amis.

Oui, l'essentiel, j'y arrive: as-tu été payée, au moins?

Payée, Ringo, si j'ai été payée...?

Mais oui, bien sûr, exactement comme
au camp, quand on s'occupait des enfants.
Le salaire du cœur, comme le répétait cette
chère miss Mimosa... Façon élégante de dire:
c'est bien le *fun* ce que tu fais, on est contents,
ça mériterait un salaire, mais ne te fais pas
d'idées, tu n'auras pas une cenne pour ça!

DE : Coccinelle

À : Pinotte

Salut, ma belle Pinotte !

Où en es-tu dans tes messages avec Kiwi ? As-tu réussi à lui écrire ? Euh… parlant de tes amours, ce n'est peut-être pas mes oignons, mais y a-t-il quelque chose dans l'air avec Ringo ? Ringo qui se souvient du fait que tu lui as tenu la main, Ringo qui t'appelle sa « petite Pinotte d'humour » (hum ! hum ! toujours égal à lui-même pour les jeux de mots…), je me disais que j'avais probablement loupé quelque chose. Mais tu m'en aurais parlé, non ? Serais-tu intéressée par notre Ringo ?

Je vous ai dit que j'avais les jambes en guenille quand je suis entré le premier dans la grotte. Habituellement, je n'ai pourtant pas peur de grand-chose. Des chauves-souris vampires ? Donnez-moi une mitraillette, et je m'en occupe. Traverser une rivière infestée de crocodiles sur un pont de corde rongé par des termites, sauter en parachute, me battre contre des dragons à trois têtes ? Aucun problème, à condition que ce soit dans un jeu vidéo ou dans un roman. Dans la vraie vie, c'est une autre paire de manches. Mais s'il y a quelque chose qui m'inspire VRAI-MENT, mais VRAIMENT une peur bleue, que ce soit dans un roman ou dans la vraie vie, ce sont les clowns ! Promets-moi de ne JAMAIS te dégui-ser en clown devant moi, Coccinelle ! J'en ferais des cauchemars pour le reste de mes nuits !

J'ai une autre confidence à vous faire : je crois que mon séjour au camp m'a transformé de plu-sieurs manières. J'ai appris par exemple que je n'étais vraiment, mais VRAIMENT pas en forme. (OK, j'arrête IMMÉDIATEMENT de mettre mes adverbes en majuscules.)

Je ne vous en ai jamais parlé, mais j'étais frustré de voir Ringo grimper la paroi qui menait à la grotte comme si de rien n'était. On aurait dit une chèvre de montagne (préférerais-tu que je te compare à un bouc, Ringo?). J'étais tout aussi frustré (et peut-être même plus!) quand j'avais toutes les peines du monde à suivre Coccinelle en canot, sans parler de notre infatigable Pinotte qui pouvait marcher sans s'arrêter pendant des heures en transportant un sac à dos plus lourd qu'elle. Je vous talonnais sans rien dire, en faisant semblant de ne pas trop souffrir.

Eh bien, cette période de ma vie est terminée! J'ai accepté l'invitation de mon prof d'éducation physique, qui me harcèle depuis le début de l'année, et je me joins aux Géants, notre équipe de football! Si tout va bien, je serai bientôt garde offensif, chargé de protéger notre quart-arrière. Diète, course, haltères, exercices, entraînement… Attendez de voir de quoi j'aurai l'air l'été prochain! Kiwi n'a qu'à bien se tenir!

Puisque je suis en veine de confidences, je vous en fais une autre : j'adore recevoir vos messages! Aussitôt que j'ai une minute, je jette un coup d'œil à ma boîte de réception. Quand j'aperçois un de vos noms (ou, mieux encore, les trois en même temps, comme ce soir), je pousse un grand *yesss*! Il n'y a qu'avec vous que je me sens libre de dire tout ce que je pense, comme je le pense, sans crainte d'être jugé. Merci, mes amis!

Merci surtout à toi, Ringo, de m'avoir montré comment on peut aller au-devant des autres, leur poser des questions, s'intéresser à eux. J'aimerais avoir tes habiletés sociales, ces jours-ci.

Bon, d'accord, j'arrête de tourner autour du pot. J'ai une vraie confidence à vous faire. Je n'ai pas de rivière infestée de crocodiles à traverser, mais c'est pire : il faudrait que je traverse la cafétéria pour parler à une fille.

Si seulement c'était aussi simple qu'avec vous !

DE: Ringo

À: Mes amis

Spatule, j'ai particulièrement aimé le « surtout »
dans « Merci surtout à toi, Ringo » pour mes habiletés sociales. C'est gentil. Mes parents m'ont
toujours dit : « Si la montagne ne va pas vers toi,
va vers la montagne. » Et comme ma nouvelle
petite voisine s'appelait Lamontagne, ben, j'y suis
allé... Pourquoi ? Parce qu'elle était là... et qu'elle
était très chouette, cette Lamontagne (ce n'était
pas Pinotte, mais quand même...) !

Que veux-tu ? J'aime le monde ! Pas tout le monde,
évidemment (tu veux des noms ?). J'ai une longue
liste de jeunes que je connais et que j'aime bien
rencontrer à l'école ou dans mon quartier. Mais
depuis l'été dernier, il y en a trois qui ont grimpé
au sommet de cette liste...

DE:	Pinotte

À:	Coccinelle seulement et surtout que ceci reste entre nous!

J'ai finalement écrit un long message à Kiwi. Ensuite, je le regrettais. J'avais peur d'en avoir trop dit. On devrait tellement pouvoir récupérer un message qu'on regrette d'avoir envoyé. Il devrait y avoir la touche «Oups! Regret.» J'ai attendu, attendu sa réponse. J'étais tout énervée quand j'ai aperçu son nom. Voici ce qu'il m'a écrit: «Je n'ai pas ton appareil photo, Pinotte.»

Tu en penses quoi? Qu'il joue les indépendants ou qu'il n'est vraiment pas intéressé? Il est peut-être timide? Pas facile de savoir.

Pour ce qui est de Ringo et moi: non. Rien entre nous. Ringo, c'est quelqu'un à qui je peux tout dire, quelqu'un qui me fait rire comme personne si je ne vais pas bien, un confident même, on se ressemble aussi. On est beaucoup trop proches et complices pour être amoureux.

Entre nous, Spatule a l'air d'avoir une fille en vue, tu en sais plus? Il t'écrit en privé, des fois? Moi, pas. Ringo non plus d'ailleurs. Les gars avec les gars, les filles avec les filles!

Sais-tu quoi ? J'ai eu une idée géniale. Quand Spatule jouera au football, on devrait aller le voir. Les trois. Une surprise ! Qu'est-ce que tu en penses ?

Bon, je retourne à mon devoir de math. Si tu savais à quel point je ne comprends rien. Pourquoi t'es si loin ? Imagine… on ferait nos devoirs ensemble.

DE : Spatule

À : Ringo

Dis-moi franchement, Ringo : qu'y a-t-il sous les blagues ? S'est-il passé quelque chose entre Pinotte et toi ?

DE : Ringo

À : Spatule

C'est une bonne idée, ça, de te mettre en forme.
Je t'encourage à distance. Tu sais que les filles ne
sont pas insensibles aux abdos… Regarde comment Coccinelle et surtout Pinotte me dévisagent
le ventre quand je suis en costume de bain avant
de plonger dans l'eau froide…

Tu veux savoir s'il y a quelque chose entre elle et
moi ? Il faudrait le lui demander à elle. Parce que
si ce n'était que de moi… Confidences entre gars,
évidemment. J'essaie de multiplier les possibilités
de contacts physiques entre nous. Ne serait-ce
que lui effleurer le bout des doigts, son bras
gauche (il a quelque chose, ce bras gauche-là !
Mais je ne négligerais pas pour autant le droit).
Au feu, parfois, nos genoux se touchaient. Wow !
Quelle sensation !

Alors, j'ai très hâte au prochain camp. Je crois que
je vais vraiment passer à l'action et ne plus attendre
qu'elle daigne s'avancer. Pourvu que Kiwi ne soit
pas là. Je devrais lui envoyer une lettre anonyme
pour lui préciser que le camp a été annulé pour
l'été prochain. Ou lui indiquer qu'il a été déplacé
dans les Territoires du Nord-Ouest et que sa pré-
sence y est requise.

Pour en revenir à ta carrière de football, elle est taillée sur mesure pour toi. Tu ferais un bon joueur de ligne. De mon côté, je pourrais bien évoluer comme porteur de ballon. Je suis un petit vite et j'excelle pour fuir les gros costauds qui veulent s'en prendre à moi à mon école. D'ailleurs, je devrais t'inviter à venir passer quelques jours en ma compagnie. Ça pourrait calmer les matamores qui ne songent qu'à s'attaquer aux plus petits qu'eux. Bande de lâches!

Enfin, je suis content que tu aies remarqué mon agilité à grimper les parois rocheuses, vers la caverne du mort. Par contre, je suis plus du genre bouc que chèvre des montagnes, tout de même!

Je te laisse. Tu me fais penser que je vais envoyer un mot à Pinotte pour voir si elle s'ennuie de moi. Dès que j'aurai deux minutes.

DE: Spatule

À: Ringo

Je suis sûr que ça va marcher avec Pinotte. Il me
semble que vous êtes faits pour aller ensemble.

DE: Ringo

À: Spatule

Si tu le dis…

DE : Coccinelle

À : Pinotte

Hum… le moins qu'on puisse dire, c'est que Kiwi
n'est pas bavard…

Difficile d'interpréter son message à partir de
si peu de mots. En plus, ce qui est trompeur,
avec les messages électroniques, c'est qu'on
n'a pas le ton qu'emploie la personne. Peut-
être qu'il voulait dire : « Je n'ai pas ton appareil
photo », suivi d'un soupir mélancolique ? Bon,
reste que, personnellement, je trouve sa réponse
un peu froide. Si j'étais toi, je miserais plus sur
Ringo ! ☺ Mais non, je te taquine, je comprends
tout à fait ce que tu veux dire. Nous sommes
bien trop proches tous les quatre pour qu'il se
passe quelque chose. Il me semble. Je pense.
Non ?

Et Spatule en pleine tentative de séduction ! Je me
demande bien qui est l'heureuse élue. On la verra
peut-être en allant au football ? C'est une idée
MAGNIFIQUE ! Il faut absolument que ça marche.

Pour répondre à ta question : Spatule et Ringo
ne m'ont jamais écrit en privé. Tu te rappelles
quand Ringo a demandé à Spatule de lui écrire ?
J'aimerais bien savoir de quoi ils se parlent tous
les deux… De filles, tu crois ?

Je m'ennuie beaucoup trop de toi, ma Pinotte! Il reste combien de temps avant qu'on se retrouve au camp? Ah oui, 11 mois et quelques jours…

Soupir.

DE: Spatule

À: Tous

Skype, ce soir? (Je serai chez mon cousin, une fois de plus. Entre nous, j'aimerais bien avoir l'occasion de lui fausser compagnie avec vous!)

DE: Pinotte

À: Vous trois

Ouaip! Parfait pour moi! À quelle heure? Je suis chez moi toute la soirée!

DE : Coccinelle

À : Vous trois

Nooooon ! Il y a une malédiction qui pèse
sur une rencontre virtuelle entre nous quatre…
C'est l'anniversaire de ma mère, on va souper
au restaurant. Comme mon père arrive du bureau
vers 18 h 30 seulement, je risque de rentrer tard.
Désolée ! Mais vous pouvez le faire sans moi, juste
vous trois. (Je vous en voudrai jusqu'à la fin
des temps, mais n'hésitez pas.)

DE : Ringo

À : Vous trois

Pas possible pour moi non plus. Désolé. Un humoriste professionnel, que je ne nommerai pas même sous la torture, a besoin de conseils pour son prochain spectacle. Et vous savez comment ils sont, ces zartistes. C'est le seul moment où je suis disponible pour lui. Heureusement pour lui. Malheureusement pour la Bande des Quatre.

DE : Coccinelle

À : Devinez qui ?

Salut vous trois !

Hé ! Spatule, tu me mets une arme redoutable entre les mains ! J'ai déjà noté d'apporter un costume de clown dans mes bagages l'été prochain. Je m'imagine très bien, au cours d'une nuit de camping sauvage, faire irruption près de ton sac de couchage, à la lueur de la pleine lune, sous les feuilles frémissantes des arbres, vêtue en clown et éclatant d'un rire diabolique... Tu vois ce que je veux dire, une scène VRAIMENT terrifiante ! Mouahahahahaha !

En attendant ce moment qui sera sans nul doute mémorable, ne nous fais pas languir... Allez, écris-le... c'est qui, cette fille ? Elle semble intéressée ? Tu as réussi la traversée de la cafétéria ?

En tout cas, bravo pour tes bonnes résolutions ! Je suis très fière de toi ! Et même si je ne comprends absolument rien au football, je promets de faire semblant d'être captivée quand tu nous raconteras tes exploits !

DE: Ringo

À: Pinotte et Coccinelle, et à Spatule, à titre de témoin

Soyez franches : dites donc, les filles, est-ce que vous vous ennuyez de moi ?

Choix de réponse :

A) Beaucoup

B) Trop

C) Beaucoup trop

DE: Pinotte

À: Ringo (et aux deux autres aussi,
évidemment!)

Réponse: A, B et C.

Et je m'ennuie de l'été, du camp, des feux,
des étoiles, de la mouffette empaillée, de tout!
À quand notre premier Skyyyyyype?

DE : Spatule

À : *Los tres amigos*

Ouille ! Ayoye ! Aïe aïe aïe !

C'était le résumé de mon premier entraînement de football. Nos entraîneurs sont encore plus sadiques que notre cher Hercule du camp, notre maniaque d'hébertisme. Nous avons couru une demi-heure sous un soleil de plomb, nous avons soulevé des tonnes de fonte, puis nous avons traversé la moitié du terrain avec un joueur sur le dos. Ça, c'était le réchauffement avant que le véritable entraînement commence. Il fallait ensuite foncer sur des sacs de sable, courir, arrêter, courir, arrêter, se jeter par terre, se relever, se jeter par terre encore avant de se ruer une fois de plus vers les sacs de sable... Je n'ai jamais été aussi courbaturé de ma vie, mais j'adore ça ! Ça m'a même donné le courage de traverser la cafétéria ! Sans blague !

Laissez-moi vous raconter comment c'est arrivé. J'étais assis avec mes deux cousins, comme d'habitude, et je leur expliquais comment s'était passé mon premier entraînement quand je l'ai vue. Elle. Celle qui fait battre mon cœur depuis le début de l'année et que je n'ai jamais osé aborder. Mon cœur n'a fait qu'un tour, comme on l'écrit dans les romans. Je n'ai pas hésité une seconde.

J'ai pensé que si j'étais capable de traverser un terrain de football avec un joueur sur le dos, je devrais être capable de glisser quelques mots à une fille. J'ai pensé à toi, Coccinelle, et à toi aussi, Pinotte : ça ne devrait pas être plus compliqué que de vous parler, non ? Il suffisait de prendre une grande respiration et de foncer.

Je me suis levé sans rien mentionner à mes cousins. J'ai marché lentement vers elle, sûr de moi. Je n'avais aucune idée de ce que j'allais lui dire, mais j'avais confiance que je trouverais quelque chose, le moment venu.

Elle était debout derrière le comptoir des desserts, comme d'habitude. Elle avait son sarrau blanc et un joli filet dans les cheveux.

J'ai pu lire son nom, sur son insigne. Elle s'appelle Solange.

Je n'ai pas hésité une seconde et j'ai immédiatement fixé mon choix :

– Je veux un gâteau aux carottes. Celui-là.

– Parfait, mon grand !

Vous auriez dû voir son sourire quand elle m'a tendu mon dessert ! Solange doit avoir 60 ans, mais elle semblait en avoir 20 de moins !

Bon, d'accord, j'ai changé d'idée en cours de route et je n'ai pas parlé à Chloé, mais c'était quand même un bon début, non?

P.-S. – Le gâteau était délicieux.

P.-P.-S. – Je ris encore en pensant à la blague de Ringo à propos d'Hercule. On imaginait qu'on pourrait le rendre fou en lui demandant d'avancer: «Avance, Hercule! Avance, Hercule!»

DE: Pinotte

À: Ringo, Coco et Spat!

Je participe à un tournoi régional de badminton aujourd'hui. Je pars dans trois minutes. Je reviens avec la médaille d'or ou je ne reviens pas! Je sens que ça va barder! Pensez à moi, d'acc? À midi pile.

En passant, Spat, en amour tout comme au foot, faut surtout pas perdre de vue nos objectifs!
Allez!

DE: Ringo

À: La compagnie

Je suis essoufflé rien qu'à lire les détails de ton entraînement, Spatule. Méchant entraîneur sadique! Foncer sur des sacs de sable qui ne vous ont rien demandé, c'est ordinaire. Mais si ça fait de toi un meilleur joueur et que ça te permet de percer l'alignement, alors, bonne chance! Fais juste attention de ne pas percer le sac!

Il reste maintenant à transformer ces sacs de sable en sacs du quart! (Blague de gars ou, comme dirait l'autre, qu'est-ce qu'on s'en sac!) Je connais quelques joueurs de mon école qui feraient d'excellents sacs de sable – ils en ont probablement l'intelligence. Je devrais te les présenter.

Je suis content, Spatule, que tu te souviennes de ma blague de Hercule (ou d'Hercule... est-ce un H aspiré ou pas?). Le plaisir de créer une blague – car je suis convaincu que pareille blague n'a jamais encore été faite jusqu'ici! –, donc, le plaisir de créer une blague, c'est sa durée de vie, sa longévité. Tu me prouves que plusieurs semaines plus tard, cette fichue de bonne blague continue de tenir la route!

Bonne chance pour Chloé! Déjà, de penser seulement lui adresser la parole, c'est un grand pas en avant. Par la suite, il te suffira de multiplier les occasions de rencontre, par exemple: grimper la paroi pour aller visiter la caverne du mort et lui tenir la main loooooongtemps! J'espère que Coccinelle, qui rougit toujours à vue d'œil, et Pinotte ne seront pas jalouses de Chloé. Moi, en tout cas, je ne le suis pas du tout.

En passant, Pinotte, on pense à toi pour ton tournoi de badminton. Tu mets la barre haute en titi. Si la compétition avait été à Victoriaville, je t'aurais volontiers hébergée en cas de défaite. Il y a une chambre au sous-sol. Il ne reste plus qu'à faire le ménage. Les chiens iront dormir ailleurs. Et puis, je suis convaincu que ma petite sœur aimerait te revoir. On pourra la garder, toi et moi, une soirée. Je l'enverrai se coucher à 18 h 30 et je paierai le cinéma, programme double, à mes parents.

J'avais oublié que tu étais adepte de sports extrêmes, Pinotte ! Bonne chance pour ton tournoi ! Pas de pitié pour les moineaux ! Je vais prier pour que le fantôme de Lord Badminton veille sur toi !

Entre toi et moi, ce ne serait pas une idée géniale d'accepter l'offre de Ringo : il m'a déjà raconté qu'une famille de pitbulls était morte dans son sous-sol. Ce sont maintenant des chiens fantômes qui se nourrissent exclusivement des restes de repas dans les camps d'été. Surtout des pâtés chinois aux lentilles. J'espère que vous vous souvenez de ce délice innommable. Nos moniteurs ont fait preuve de discernement en annulant le feu de camp, ce soir-là ! Je n'ose pas imaginer l'explosion !

J'ai une question pour toi. Tout le monde sait d'où vient le surnom de Ringo : ses solos de batterie sur des pots de yogourt étaient mémorables. Mais pourquoi as-tu choisi le surnom de Coccinelle ? Est-ce parce qu'elle rougissait facilement ?

DE : Pinotte

À : Spatule et aux autres

C'est vrai qu'elle rougit facilement, mais on l'appelle Coccinelle à cause de son super maillot noir à pois rouges ou rouge à pois noirs. Ringo et moi, on n'est jamais d'accord sur la couleur de ses pois. Et puis, c'est moi qui ai trouvé le surnom de Coccinelle, même si Ringo est certain que c'est son idée.

DE: Coccinelle

À: Pinotte, Ringo, Spatule

Bon, je m'absente deux petites heures, le temps d'aller garder l'adorable fille de la voisine, et ça y est, ma messagerie déborde! (Non, je n'ai pas osé refuser la demande de la voisine… Oui, cette fois, j'ai été payée. Et je te confirme, Ringo, que ta sœur est un ange, quoi que tu en dises.)

Mes réponses, en rafale:

@ Ringo: Si je m'ennuie de toi? Pffft… dans tes rêves!

Maaaaais non, tu sais bien que je m'ennuie de toi, comme je m'ennuie de Spatule et de Pinotte. Vous me manquez terriblement. Mais ne va pas te faire d'idées, Casanova: ce n'est pas de toi spécialement que je m'ennuie, c'est de la bande!

@ Spatule: Courage, Spatule, va parler à Solange… euh… à Chloé! Au pire, elle ne sera pas aussi sympathique que tu le penses. Au mieux, elle va être encore plus adorable que tu le croyais, vous allez vous marier, vous serez heureux et vous aurez beaucoup d'enfants (rien ne presse, hein?). Vas-y, fonce, j'ai confiance! Quelle fille pourrait te résister? ☺

@ Pinotte : Es-tu revenue de ton tournoi, Pinotte ?
Si oui, tu as la médaille d'or. Sinon… AU SECOURS !
Je lance un avis de recherche ! (Au cas où vous ne
suivriez pas, les garçons, Pinotte a menacé de
ne pas revenir si elle n'a pas la médaille… Quoi,
Ringo n'a pas le monopole des farces plates !)

AAAAAAAAaaaaaaaaaaaHHHHhhhh! Ça y est, ma Pinotte, Ringo s'est officiellement déclaré! Cette fois, ce n'est même plus discret! Il t'invite à aller dormir chez lui! Ouh là là! Smack, smack, smack! Petits cœurs, bisous et tout!

DE: Coccinelle

À: Pinotte, Ringo, Spatule

Avouez que je vous ai bien eus! Je sais très bien
que j'ai envoyé mon message précédent à vous
trois et pas seulement à Pinotte. C'était voulu,
bien entendu! Je ne pouvais pas m'empêcher
de taquiner notre cher Ringo!

Oh nooooooon, Pinotte, je veux fondre sur place! Tu devrais me voir! Je suis plus rouge que miss Mimosa quand elle a eu son super mégacoup de soleil! Désolée, je me suis trompée en envoyant mon message. Il n'était que pour toi, évidemment! J'ai essayé de rattraper le coup! J'espère que les garçons me croiront!

DE: Spatule

À: Coccinelle

Ringo s'est *officiellement* déclaré, dis-tu, Coccinelle?
Tu es vraiment une extraterrestre! Ringo ne fait
que ça, avec toutes les filles, tout le temps!

DE : Spatule

À : La bonne vôtre !

Vous souvenez-vous de la nuit des Perséides ?
Toute la journée, le ciel avait été bleu comme le
Schtroumpf coquet et Einstein était aux oiseaux :
notre scientifique préféré allait nous faire observer
les étoiles filantes avec son super télescope. Le soir
venu, évidemment, le ciel s'est couvert et il a plu
toute la nuit. Plutôt que de contempler la voûte cé-
leste, nous avons admiré le toit de la cantine. Plutôt
que de parler d'astronomie, nous avons consulté
nos horoscopes. Le pauvre Einstein s'arrachait les
cheveux, et il y avait de quoi ! Comment peut-on
croire à de telles sornettes ? Comme tous ceux qui
sont nés sous le signe du Lion (surtout avec un
ascendant Pétoncle dans l'astrologie aztèque),
je n'y accorde aucune crédibilité.

Mais notre discussion sur l'astrologie nous a quand
même amenés à une découverte spectaculaire :
c'est ce soir-là que nous avons appris que Ringo
et Pinotte étaient Balance et qu'ils célébraient leur
anniversaire le même jour ! Selon mes souvenirs,
c'est aujourd'hui, non ?

Joyeux anniversaire, Pinotte ! Comment a été
ton tournoi ?

Joyeux anniversaire, Ringo! (Merci pour tes encouragements, mais je ne pense pas que je vais adresser la parole à Chloé de sitôt. Elle est TOUJOURS entourée d'une dizaine de filles qui passent leur temps à rigoler. J'ai mon orgueil!)

Ce n'est pas ton anniversaire, Coccinelle, mais je te souhaite quand même une joyeuse journée!

DE : Pinotte

À : Spat, Ringo et à ma Coccinelle…

Merci pour les vœux d'anniversaire et merci de
ne plus jamais me parler de mon tournoi. Rien
à ajouter. En fait, rien ne va, on dirait.

Bonne fête, mon petit Ringo! C'est vrai qu'on a
des tonnes de milliers de trucs en commun, même
notre date d'anniversaire. Nés le même jour. C'est
fou! Mais toi, tu n'aurais sûrement pas perdu 19-21
en finale contre Kora-Lee Wong Thibodeau! Tu es
un gagnant, moi une tarte. Pourtant, les planètes
étaient alignées de la même façon quand on est
nés, non? Ça dépend de l'heure, peut-être… Je ne
comprends pas. Un jour, j'en parlerai à Einstein.
Remarque, je ne fais pas de mauvais jeux de mots,
moi. Heureusement…

Je suis une tarte. Et j'ai le cœur en compote.
(Et ça, ce n'est pas pour faire un jeu de mots.)
Je vous laisse. La visite arrive, ma tante Loulou
et mes trois cousins. Misère… C'est vous trois
que je voudrais ici avec moi quand je vais souffler
mes bougies.

Coccinelle, ma petite bibitte, Coccinelle. Non mais, tu nous prends, les gars, pour des demeurés? Belle tentative d'essayer de nous confondre, Spatule et moi, mais on sait bien que tu as fait une erreur en nous envoyant aussi ton message destiné à ta Pinotte! Échec! *Fail*! (Comme dans *fêle*, mais pas comme dans *faille*). Smack, smack?

J'imagine notre Pinotte rouge comme une tomate à la lecture de ton message. C'est son désir secret, ça? Un smack, c'est sur les joues ou…? Jamais deux sans trois! J'aime bien cette coutume des Européens qui s'embrassent trois fois au lieu de deux, sauf pour ma tante Neuvaine, de la Belgique; elle a du poil au menton et ça pique chaque fois. Beurk! C'est râpeux, comme mon père quand il ne se rase pas la fin de semaine.

Je te rassure, Pinotte: il n'y a AUCUN pitbull qui est mort dans mon sous-sol. Donc, pas de fantômes canins à l'horizon. Les rats qui s'y terrent auraient fait un boucan du diable si ça avait été le cas.

Merci pour tes souhaits de joyeux anniversaire, Spatule. Effectivement, Pinotte et moi avons AUSSI ça en commun: notre journée d'anniversaire.

Moi, je proclame et je répète que c'est le destin. C'était écrit dans les cartes du ciel, Spatule.

Si je m'en souviens bien, tu m'avais expliqué que j'étais Balance, ascendant Pepperoni, dans l'astrologie aztèque. Pinotte, elle, est Balance, ascendant Fromage. Le Pepperoni et le Fromage vont très bien ensemble, très bien ensemble… (Ça ne vous rappelle pas une chanson des Beatles, ça ? Oui, c'est *Michelle*…)

Pour ce qui est du résultat du tournoi, Pinotte, si ça ne s'est pas déroulé à ton goût, tu peux toujours venir pleurer sur mon épaule, si le cœur et les sanglots t'en disent. Je saurai trouver les bons mots et faire les bons gestes pour te faire oublier tes cuisantes défaites. J'ai le chic pour ça, semble-t-il.

Ah, ce cher Einstein, fervent d'astronomie. Un vrai… dés-astre ambulant, celui-là (bon, je sais que je l'ai faite, cette petite blague, au cours de cette soirée, mais je voulais vous rafraîchir la mémoire. Un bon jeu de mots demeure intemporel). Et moi, les étoiles, malgré le mauvais temps et le plafond de la cantine, je pouvais les voir dans les yeux de Pinotte. (Avouez que c'est joliment tourné… Je parle, évidemment, de ma prose.)

Einstein, un désastre ? Je veux bien croire que tu aimes les jeux de mots foireux, ami Ringo, mais celui-là n'était pas digne d'une *star* ! Einstein était mon moniteur préféré ! Il n'était pas précisément un leader, c'est vrai, mais il était très intéressant quand on se donnait la peine de l'écouter. Les filles ne seront peut-être pas d'accord avec moi, mais j'échangerais volontiers 10 Kiwi pour 1 Einstein !

DE: Ringo

À: Spatule et compagnie

J'espère que je n'ai pas à t'expliquer, Spatule,
l'association de *dés-astre* avec l'astronomie…
Je revendique le droit de faire d'épouvantables
jeux de mots.

Mais tu as bien raison : Einstein était remarquable.
Super moniteur sans aucune autorité au grand
plaisir de ses jeunes campeurs. On essayait de
l'aider. Il était tellement sympathique. C'est sa
soirée d'observation des astres qui s'est révélée
un vrai désastre (voilà, je la répète, au cas où…)
avec la pluie (on était loin de la pluie de météo-
rites attendue).

Un vrai désastre, c'est plutôt… Kiwi, non ?

Kiwi et Einstein, quel contr-astre ! (Coccinelle,
je sais que *contraste* ne s'écrit pas de cette façon,
mais je voulais finir avec une petite blague de
votre Ringo préféré !)

DE : Spatule

À : Ringo et à ses admiratrices

Kiwi n'est certainement pas une étoile. Ce serait plutôt un trou noir!

DE: Ringo

À: Au gars et aux deux filles

Spatule, ce n'est pas gentil pour les trous noirs,
ça, de les associer à Kiwi... Mais je t'accorde
le droit d'écrire que Pinotte et Coccinelle sont
mes admiratrices. Merci de le leur rappeler.

DE: Pinotte

À: Coccinelle et aux deux gars, pas le choix

N'importe quoi! Nous, tes admiratrices…

DE: Spatule

À: Vous autres

Quatrième essai, des milliers de verges à parcourir :
Skype dimanche matin ? (Je serai à Montmagny.)

Oublie le dimanche matin ! TOUS les dimanches, j'ai un cours de danse. Je sais, je ne vous en avais jamais parlé, j'avais trop peur que vous me demandiez de vous faire une démonstration. Je suis bien trop timide.

N'allez surtout pas m'imaginer en tutu de ballet ou en minijupe de meneuse de claque. Je fais du hip hop. J'adore ça. Donc, je ne manque jamais mes cours du dimanche matin. On remet ça en après-midi pour Skype ?

DE: Pinotte

À: Vous trois

Yé! Enfin un Skype! Dimanche après-midi, au
retour de Coccinelle. Je suis chez moi jusqu'à
3 heures. Seras-tu encore à Montmagny, Spat?

DE : Ringo

À : Vous trois

Désolé, je serai parti. Je dois prononcer une conférence aux Nations Unies sur les molécules nucléaires et leur influence sur le champ magnétique terrestre… Il faut bien gagner sa vie : aspirant moniteur l'été, conférencier à l'ONU l'automne.

(Non, sérieux, je ne serai pas aux Nations Unies… ni à la maison.)

DE: Spatule

À: Vous, mes trois amis invisibles

Bon, ça va, j'ai compris! On oublie Skype!
Le destin ne veut pas qu'on se voie! Pourquoi
se mêle-t-il de nos vies, celui-là?

DE: Pinotte

À: Vous trois

Hé! pas question d'oublier Skype! On ne baisse pas les bras. On va y arriver…

DE: Spatule

À: Pinotte et ses écales

Ouille! Ça va trop vite! J'ai reçu ton message pendant que j'échangeais des niaiseries avec Ringo, chère Pinotte! Désolé pour ta défaite! Et désolé aussi d'avoir fait une mauvaise blague au sujet du badminton: ce n'est peut-être pas un sport de contact, mais c'est un sport très exigeant. D'ailleurs, tu battais tout le monde, au camp. Moi y compris!

Je ne t'envoie pas de smack, smack pour te consoler (je les laisse à Ringo!), mais je t'encourage par télépathie.

DE: Coccinelle

À: D'après vous?

On sort le temps d'un petit brunch en famille pour la fête de grand-maman, et on se retrouve inondée de messages…

Je ne sortirai plus jamais, c'est trop choquant.

En tout cas, pas trop souvent.

Juste un petit brunch et voilà notre pauvre Kiwi couvert d'insultes une fois de plus (jalousie, quand tu nous tiens). Un simple petit brunch et voilà notre pauvre Pinotte qui se traite de tarte à la compote.

Pinotte, tu es loin d'être une tarte, ne l'oublie jamais : tu es mon petit chou à la crème. Tu te souviens, c'est justement lors de cette fameuse soirée d'observation des astres (est-ce nécessaire de répéter toutes les mauvaises blagues de Ringo à ce sujet?) que je t'ai dit pour la première fois : « Mon pauvre petit chou… » Il pleuvait à boire debout, tu avais glissé dans le sentier, tu avais roulé dans la boue. En t'aidant à te relever, j'ai dit : « Oh non! Pauvre petit chou! » Et au même moment, tu as reçu sur la tête un morceau d'écorce de bouleau transporté par le vent. Les cheveux trempés, le toupet dans les yeux, tu as soupiré en regardant l'écorce blanche : «Pauvre petit chou à la crème, oui!» On l'a ri pendant 10 minutes. (Bon, j'admets qu'on était peut-être fatiguées.) C'est ce que j'adore de toi : peu importe la situation, tu as toujours le mot pour rire et un moral du tonnerre!

En tout cas, moi, je trouve que 19-21, c'est une chaude lutte et il y a de quoi être fière. Vu comment tu nous battais cet été, miss Wong Thibodeau nous aurait bien anéantis, Spatule, Ringo et moi.

Je vous souhaite un merveilleux anniversaire, Ringo et Pinotte. Faites-moi plaisir : en soufflant les bougies sur votre gâteau, faites le vœu qu'on se retrouve bientôt! Vous me manquez trop!

Quant à toi, Spatule, je te souhaite une merveilleuse journée! Au fait, comment va Chloé?

DE: Spatule

À: Coccinelle, Ringo, Pinotte

Chloé? Qui ça, Chloé? Je ne connais pas de Chloé. Il n'y a pas de Chloé dans mon école. À moins évidemment que tu parles de cette fille qui est toujours entourée d'une dizaine de ses semblables. Elles n'ont pas de casque ni d'épaulettes, mais elles possèdent une arme bien pire : elles rient! Je suis sûr qu'il me suffirait d'*essayer* une seule fois de percer leur ligne offensive pour qu'elles se moquent de moi jusqu'à la fin de mon secondaire. J'abandonne.

Je préfère parler de football, si ça ne vous dérange pas. Mon entraîneur a l'air très content de mon jeu. Il veut me confier le poste de centre offensif. Mon travail serait de donner le ballon à mon quart-arrière, puis de protéger ce dernier assez longtemps pour qu'il ait le temps de lancer le ballon. Ça demande de la force, et j'en ai à revendre. J'ai plusieurs techniques à apprendre (les longs relais pour les bottés de dégagement ne sont pas évidents), mais mon père m'a enseigné des trucs de lutteur et je me débrouille plutôt bien pour bloquer les adversaires. Ce qui me manque, selon mon instructeur, c'est la rage. Il me dit que je dois détester les autres joueurs, mais ce n'est pas dans ma nature. Les bloquer, ça va. Les plaquer, ça va également. Je peux aussi les projeter au sol si le jeu l'exige, mais ensuite, je les aide à se relever.

Je ne sais pas si les filles qui entourent Chloé joueraient aussi franc jeu. Est-ce un préjugé anti-filles?

Tandis qu'on parle de football, je dois vous avouer qu'il y a quelque chose d'étrange avec mes parents à ce sujet. Mon père est très fier de me montrer ses trucs de lutteur, comme je m'y attendais. C'est la réaction de ma mère qui m'étonne le plus: elle m'a dit qu'elle était heureuse que je passe moins de temps le nez dans les livres depuis que j'ai commencé mon entraînement! Connaissez-vous beaucoup de mères qui se plaignent que leur fils lit trop?

Dernière heure! En consultant le calendrier de mon équipe, je m'aperçois qu'on va jouer un match à Victoriaville le 30 octobre! Assisteras-tu à la partie, Ringo? Ce serait sympa de te revoir!

DE: Ringo

À: Spatule et aux amies

Une dernière heure à la dernière minute, ça! C'est une super bonne nouvelle, Spatule. Bien sûr que j'y serai. Et j'espère que votre équipe va planter celle de mon école. C'est qu'il y a quelques joueurs qui aiment brasser tout le monde dans les couloirs. Ils sont les rois et maîtres, surtout Guédille, le quart-arrière, qui se prend pour le nombril du monde. Ce n'est pas son vrai nom (c'est Charbonneau). On le surnomme ainsi parce qu'un jour, il a fait une présentation orale devant le groupe en français où il parlait de sa future carrière de footballeur dans la Ligue nationale. Avec un ton arrogant, grinçant comme des ongles de fille sur un tableau. Quand il a fait sa présentation, il avait une guédille au nez… Personne ne le lui a dit. Il a dû s'en rendre compte plus tard lorsqu'il est allé à la salle de bains pour s'admirer devant le miroir… Guédille-au-nez! Guédille-au-nez!

Évidemment, il était furieux quand il est sorti de la pièce et il s'est défoulé sur le premier garçon qu'il a rencontré… Cette brute a cassé les lunettes d'un plus jeune et plus petit, sous mes yeux. N'est-ce pas qu'il est courageux, ce Charbonneau? Je le déteste. Alors, si tu viens dans mon Victo et que tu l'écrases et l'humilies devant «son» public, ce sera le plus beau jour de ma vie!

Les filles, j'espère que vous serez à mes côtés pour applaudir l'exploit de mon meilleur ami!

Ooooh ! Ringo ! Quelle histoire, cette attaque et ces lunettes cassées ! Bien sûr que je serai au match. Parce que je veux vous voir, évidemment, mais aussi parce que je veux assister à la démolition de Charbonneau, que je ne connais pas, mais que je ne porte pas dans mon cœur, allez savoir pourquoi !

Bon, il me reste quelques semaines pour convaincre mes parents de faire le trajet aller-retour à Victoriaville pour un match de football.

D'ici là, je voudrais bien te donner des conseils pour aborder ta Chloé, Spatule, mais comme je dois être la pire conseillère au monde pour les affaires de cœur, je passe mon tour. Parce que, croyez-le ou non, je suis rendue avec un *chum* imaginaire. Oui, oui. Il s'appelle Félix, il est gentil comme tout et romantique, il n'a qu'un défaut : il n'existe pas.

Pourquoi l'avoir inventé ? Je pensais que ça m'éviterait des ennuis. Résultat ? J'en ai 10 fois plus.

Soupir.

Je dois aller souper, je vous raconterai.

DE : Spatule

À : Coccinelle (et aux autres !)

Un amoureux imaginaire ? Raconte !

Allez, Coccinelle, allez !

DE: Coccinelle

À: Spatule (et aux autres)

Bon, me revoilà.

Je vous parlais donc de Félix.

Vous me connaissez, je n'aime pas faire de la peine aux autres. (Je sais, dans mon cas, cela en devient presque problématique. Du genre que ça me fait accepter d'enfiler un costume de clown à la fête de la voisine…)

Bref, depuis l'an dernier, il y a Pascal, un gars, à l'école, qui me laisse clairement voir que je l'inté- resse. Or, petit problème: moi, je ne suis pas du tout attirée par lui. Je le fuis autant que possible. Mais avant-hier, il a réussi à me coincer dans un coin de la cafétéria, seule. Il a commencé:

– J'aimerais ça te parler…

J'ai d'abord pensé me sauver en courant. Mais j'étais à la dernière table de la cafétéria, contre le mur, une bande d'élèves à la table de droite, une autre à celle de gauche, et Pascal droit devant. Rien à faire pour m'échapper. J'étais faite. Prise au piège. Comme un rat.

– Tu dois avoir remarqué que tu me plais…

Je ne me voyais pas du tout lui expliquer que lui, en revanche, ne me plaît absolument pas. Pauvre garçon ! Il avait dû rassembler tout son courage pour se déclarer ! Comme je ne voulais pas lui faire de peine, j'ai dit :

– Je t'arrête tout de suite, Pascal ! J'ai quelqu'un dans ma vie.

Il a semblé surpris.

– Qui ?

– Il s'appelle Félix.

– Il vient à l'école ?

– Non, tu ne le connais pas. Je l'ai rencontré au camp, pendant l'été.

Et là, il s'est mis à m'interroger, comme s'il ne me croyait pas ! Son plat préféré (la pizza). Sa couleur préférée (le rouge).

J'ai répondu à tout. Il a fini par me croire.

Jusque-là, ça n'allait pas trop mal. Mais depuis, chaque fois que je le croise, il me parle de Félix, je dois lui raconter ce qu'on a fait la veille, quel nouveau geste romantique ce Félix a posé, etc. Je vis dans le mensonge jusqu'au cou.

Je sais, ça aurait été tellement plus simple de juste lui dire qu'il ne m'intéressait pas…

Et ce n'est pas le pire.

Il y a cet autre gars, Olivier, que je trouve vraiment de mon goût… (Un genre de Kiwi, en un peu plus jeune, tu vois ce que je veux dire, Pinotte?) Depuis des jours, on n'arrêtait pas de se regarder, de se taquiner, je sentais que c'était possible… Eh bien, hier, il m'a envoyé, d'un ton très froid:

– J'ai appris pour Félix. Content pour toi.

Et il est parti. NOOOOOOOOON!

Je ne peux quand même pas lui expliquer que Félix n'existe pas (qui voudrait sortir avec une pareille menteuse?). Je devrais peut-être quitter Félix? Vous pensez que je peux lui faire ça…?

Pourquoi je me retrouve toujours dans de telles situations?

Je vous laisse. Félix m'attend justement. Je quitte mon village pour aller marcher avec lui dans le Vieux-Québec. Il est si romantique. Quand je vais raconter ça à Pascal lundi…

Il est chanceux de sortir avec toi, ce Félix!
Dommage pour lui qu'il n'existe pas!

Peut-être que je pourrais le personnifier? Je ferais
comme si j'étais lui et je t'enverrais des messages
enflammés, je te téléphonerais pour te lire des
poèmes, je t'écrirais de vraies lettres livrées par
facteur, comme dans l'ancien temps. Ça me don-
nerait peut-être du courage pour parler à Chloé,
qui sait?

DE: Ringo

À: Coccinelle, Spatule, Pinotte

Dis donc, Coccinelle, je te relis et je suis tout mêlé! Alors, Félix, il existe ou pas? Et Pascal? C'est ton ami imaginaire? Et Olivier? Un autre copain sorti de ta tête...? Comment arrives-tu à t'y retrouver avec tous ces personnages fictifs et réels? Tu devrais écrire des livres!

DE: Pinotte

À: Mes trois *best* parce qu'il faut que je partage ma bonne nouvelle et ma mauvaise

Mon entraîneur vient de me téléphoner. Kora-Lee Wong Thibodeau s'est cassé un poignet. Une chute fatale. Six semaines dans le plâtre. Je sais, je devrais dire : pauvre Kora-Lee et tout, c'est triste, mais devinez qui passe au tableau principal ? Tadaaaam ! ☺

Maintenant, voici ma super hyper mauvaise nouvelle terrible…

Je ne pourrai pas assister au match de foot de Spatule. Mon tournoi a lieu le MÊME jour ! Pas de retrouvailles pour moi. Pourquoi une bonne nouvelle en apporte-t-elle une mauvaise ?

Et puis, Spat et Coco, arrêtez de vous compliquer la vie ! Je vous verrais tellement ensemble ! Je l'ai pensé tout l'été. En fait, tout le monde le voyait sauf… vous deux. Bon, je file ! J'ai besoin de nou-velles espadrilles ! Je fais le tournoi, daaaaaah !

DE: Coccinelle

À: Pinotte

Euh… Pinotte, ma petite Pinotte que j'aime de tout mon cœur… AS-TU PERDU LA TÊTE? Qu'est-ce qui te prend de nous balancer ça, à Spatule et moi? Il n'y a rien du tout entre nous deux. S'il allait se faire des idées, maintenant? Déjà que j'en ai plein les bras avec Olivier, Pascal et Félix…

Je suis fâchée.

Mais je t'aime pareil.

DE : Coccinelle

À : Pinotte, Ringo, Spatule

Je suis heureuse d'apprendre que la jambette
que j'ai malencontreusement faite à miss Wong
Thibodeau a bien fonctionné…

Mouahahahahahahaha!

(Ben non, je n'ai rien fait du tout, vous me
connaissez trop bien pour en douter! Mais
je suis tout de même bien contente pour toi,
Pinotte! Bravo!)

Ce qui me rend moins contente, c'est de savoir
que tu ne seras pas au match. Moi qui avais déjà
pratiquement convaincu mes parents (bon, pas
entièrement, mais ça s'en vient). Moi qui rêve de
ces retrouvailles à chaque instant de la journée! Si
tu avais un accident, toi aussi, et que tu te cassais
un poignet, ça veut dire que tu n'aurais pas à
t'entraîner, hein? Je vais voir ce que je peux faire!

Mouahahahahahahaha!

(Ben non, je blague encore, tu sais bien que je ne
te souhaiterais pas ça pour tout l'or du monde!
Vas-y, championne, et gagne!)

Quant à toi, mon ami Spatule, que j'aime beaucoup à titre amical, je te remercie pour ta proposition. Je rêve de recevoir des poèmes et des textos enflammés, de même que de vraies de vraies lettres, mais pour le moment je vais essayer de garder Félix le plus discret possible…

Précision pour Ringo, toujours tout mêlé : Félix est le seul qui n'existe pas. Pascal, lui, est bien trop réel et beaucoup trop persévérant.

DE: Pinotte

À: Coccinelle

Excuse-moi…

Mais le gars mystère, au camp, dont tu me parlais tous les soirs, sans jamais vouloir le nommer, c'était bien Spatule, non?

Ce sera notre secret. Promis. Juré.

DE: Coccinelle

À: Pinotte

Il n'y avait pas de gars mystère… J'étais sûre
que tu le savais! C'était juste une blague pour
ne pas passer tout mon temps à t'écouter parler
de tu sais qui… ;-)

DE: Spatule

À: Ringo

As-tu lu le message de Pinotte? Coccinelle et
moi? Moi et Coccinelle? Je me suis toujours super bien entendu avec elle, dès le premier jour
du camp, mais de là à imaginer qu'il pourrait
y avoir autre chose que de l'amitié… Crois-tu
que Pinotte a fait une blague? Elle en est bien
capable! Si c'est le cas, je lui en voudrai pour
le reste de mes jours! Penses-tu que je devrais
écrire un message en privé à Coccinelle? Je ne
sais pas quoi faire! « *Help!* » comme le disait ton
ami John Lennon.

DE : Ringo

À : Spatule

Coccinelle et toi ? Toi et Coccinelle ? Je répondrai par une autre question : et pourquoi pas ? Pinotte fait peut-être une blague, mais ça ressemble à une stratégie de fille : c'est pour ouvrir la porte à son amie Coco.

Je te propose une stratégie de gars : attends avant d'étaler ton jeu… Laisse aller les choses. Je peux t'assurer que ça fonctionne pour moi. J'attends encore, d'ailleurs, LE message de Pinotte.

Moi, ce qui m'ennuie, c'est que Pinotte ne viendra pas à Victoriaville pour assister à ton match de football. Tout ça pour une partie de badminton ! Exit nos retrouvailles ! Exit mes chances de la séduire ! Exit mon EXITation de la revoir (un peu tiré par les cheveux, mais c'est plus fort que moi) !

Tiens, je vais lui écrire, moi, à Pinotte, pour lui dire le fond du fond de ma pensée.

Je suis désolé que tu ne puisses pas venir au match, Pinotte, mais je suis en même temps super content pour toi. Je te souhaite de gagner le tournoi. Ça aurait été extraordinaire de se revoir tous les quatre, mais on se reprendra sûrement. Franchement, je dois t'avouer que le badminton et le football sont les cadets de mes soucis ces jours-ci. J'ai relu 10 fois ton message où tu parles de ce qui pourrait se passer entre Coccinelle et moi. Tu n'en as pas trop dit, au contraire !

Te rends-tu compte que tu me mets dans une situation insupportable ?

Es-tu sérieuse ou est-ce une blague de ta part ?

DE : Pinotte

À : Ringo

Il est presque minuit et je n'arrive pas à dormir. Je ne vais pas bien du tout, Ringo.

Du tout !

Tu sais comme j'ai le don de me mettre les pieds dans les plats…

À cause de moi, Spatule pense que Coccinelle est amoureuse de lui, ce que je croyais aussi, en fait j'en étais certaine, mais je me suis trompée. Habituellement, j'ai l'œil, moi, pour les histoires d'amour. Ce n'était pas une blague du tout. Le problème, c'est que Spatule est rempli d'espoir par ma faute, maintenant. Imagine ! Spatule aime Coccinelle. Coccinelle ne sait pas que je sais que Spatule l'aime et moi, je sais que Coccinelle ne l'aime pas, alors je pourrais le dire à Spatule, mais je ne veux pas lui faire de peine. Tu comprends ? Je ne peux pas non plus ne pas lui dire, mais si j'enlève à Spatule tous ses espoirs, peut-être que je vais tout gâcher parce que je suis convaincue qu'ils iraient bien ensemble, ces deux-là. Tu me suis ?

Je fais quoi, maintenant ? Aide-moi, s'il te plaît. Vite !

DE: Ringo

À: Pinotte

J'espère que tu as dormi un peu, pauvre Pinotte.
Non mais, quelle idée de te mettre ainsi les pieds
dans les plats, et un pied dans la bouche, et un
pied mariton Madeleine, un pied mariton Madelon
(on la chantait tout le temps, celle-là). En passant,
hier, je me suis entraîné à courir le mariton…

Coccinelle et Spatule sont deux grands ados et
ils n'ont pas besoin de ton aide d'entremetteuse
pour se faire des bisous-bisous dans le cou. D'ailleurs, je crois – non, je sais – que tout ça, ce n'est
que du vent! Parce que, entre nous, Spatule, il
l'aime bien, sa Coccinelle, mais pas au point d'en
faire sa petite amie (à moins qu'il n'ait changé
d'avis au cours des dernières heures). Donc, tu
peux dormir sur tes deux oreilles (une façon de
parler, parce que je ne sais vraiment pas comment
on peut dormir sur ses deux oreilles).

Mais ça ne sera pas mon cas le 30 octobre
prochain! Tu ne seras pas de nos retrouvailles!
J'en ai le cœur brisé, moi qui t'avais déjà préparé
une chambre pour t'accueillir. J'ai même planifié
un petit-déjeuner pour toi (un plat de céréales
Alpha-Bits et un bon jus d'orange – le jus dans
un verre, pas dans les céréales).

Et je te félicite pour cette place sur le tableau principal du tournoi… J'en suis très, très heureux pour toi (pour moi, c'est une autre histoire, mais je devrais survivre à la déception de ne pas te voir… Devrais… au conditionnel, tu l'as remarqué?). Par contre, si tu perds dès le premier tour et que tu es éliminée (ce que je ne te souhaite pas, mais qui pourrait bien arriver, si on se croise les doigts…), il ne sera pas trop tard pour venir à Victoriaville, non?

Dis donc, Coccinelle, tu n'as pas le droit d'être plus drôle que moi. L'histoire de la jambette à cette pauvre miss Wong Thibodeau, tu l'as lue dans ma tête? Je voulais vous la raconter pour vous faire rire un peu, mais là, soudainement, je la trouve moins drôle. J'ai bien fait d'attendre…

Par contre, je salue ton utilisation de l'adverbe *malencontreusement* (j'ai dû le réécrire quatre fois pour ne pas faire de faute dans ce message). Tu as toujours eu beaucoup plus de vocabulaire que les autres. J'ignore si ça pourra vraiment te servir un jour, mais ça reste impressionnant… Un peu…

Je ne sais pas si Pinotte a trop parlé (ou trop écrit), mais elle m'a appris qu'il y avait un feu de camp entre Spatule et toi! Ha! ha! ha! Qu'est-ce qu'on rigole! Tout ça, c'est des blagues, pas vrai?

Ah, ça fait du bien de lire un message où il n'est pas question de Kiwi…

Aaaaaaaaaaaaaaaaaargh! Je me suis fait prendre à mon jeu!

DE : Spatule

À : Ringo

Je pense que tu as raison, Ringo.
Malheureusement.

DE: Ringo

À: Spatule

Hum… Spatule, je te sens déçu, là, ou je me trompe?

DE: Spatule

À: Ses amis

DÉCLARATION SOLENNELLE

Article 1. Moi, Spatule, campeur émérite et joueur de football en devenir, déclare haut et fort que:

J'aime Coccinelle.

J'aime Pinotte.

J'aime Ringo.

Article 1 bis. Je les aime séparément, mais je nous aime encore plus quand nous sommes tous les quatre ensemble.

Article 2. Ce sont mes meilleurs amis à vie et je tiens à ce qu'ils le restent. C'est pourquoi je m'engage à toujours leur dire la vérité, toute la vérité, rien que la vérité.

Article 3. Je m'engage par le fait même à ne plus jamais envoyer de messages à un de mes amis sans que les autres en soient informés (sauf pour dire des niaiseries, et encore).

Article 4. Je ne dévoilerai à personne d'autre ma recette de biscuits aux brisures de moustiques.

Article 5. Je ne qualifierai plus jamais de *foireux* les jeux de mots de Ringo. Ce mot sera banni de mon vocabulaire et remplacé par *génial*.

UN POUR TOUS, TOUS POUR UN !

Et je signe, sain de corps et d'esprit,

Spatule

DE : Ringo

À : Vous autres

Est-ce qu'on est obligés de signer la déclaration d'allégeance ? Il y a certains articles que je voudrais réécrire.

Bon, Spatule a le droit de dire qu'il aime bien Coccinelle et Pinotte. Mais m'inclure, moi, je trouve ça un peu bizarre. En tout cas, sache, Spatule, qu'une bonne «bine» sur l'épaule me ferait davantage plaisir que n'importe quelle phrase pour me témoigner ton amitié.

Remarque que je suis d'accord avec ton cinquième article : géniales, mes blagues ? *Of course*! C'est d'une telle évidence que je me demande bien pourquoi inclure pareille vérité dans un tel article ! En français, on appelle ça un pléonasme (pas vrai, Coccinelle ?), comme «un grand géant», «on descend en bas» ou «on monte en haut». Une blague géniale de Ringo, c'est le pléonasme suprême ! (J'arrête là, car ma modestie risque d'en souffrir.)

Très heureux que tu gardes pour nous ta recette de biscuits aux moustiques. Mais attends de goûter mes délicieuses bouchées aux pattes d'araignée (huit bouchées pour huit yeux, huit pattes et huit lettres dans le mot).

Toute la vérité ? Dites : « Je le jure. » Tu imagines si les filles disent tout ce qu'elles pensent des gars ? Je ne suis pas convaincu que j'ai envie de savoir le fond de leurs pensées.

Et je conclus en concluant (ça, ce n'est pas un pléonasme, c'est un… un… quoi, déjà, Coccinelle ?) que c'est vrai que l'on forme une chouette Bande des Quatre.

Je signe en mon sain accord et d'esprit de bottine,

Ringo

DE : Pinotte

À : Mes mousquetaires !

Tu as raison, Spatule ! On s'aime trop pour que l'un d'entre nous tombe amoureux de l'un d'entre nous. Ça compliquerait tout. Moi et mes histoires d'amour. J'en vois partout. Tout le temps. Et ça n'arrivera plus. Je vous le promets. Je suis désolée. Et je signe aussi l'engagement, les yeux fermés et les doigts croisés.

Finies les romances inutiles ! Je viens d'avoir une discussion en ligne avec Kiwi. Il m'invite à voir le spectacle de Blind Men Seen dans deux jours. J'ai accepté, mais pas question de voir dans cette invitation le début de quelque chose. Oh que non !

Vive les amis ! Y a que ça de vrai, les amis !

DE: Pinotte

À: Ringo

Merci pour tout, mon petit Ringo. Tu as trouvé les bons mots. Tu m'as sortie du pétrin encore une fois. Je sais que je viens de promettre de ne pas écrire en privé, mais avec toi, c'est pas pareil.

Je t'aime trop (en amie). Et j'ai besoin de toi (en amie).

xxx (en amie)

DE: Coccinelle

À: Vous trois

Ahhh! vous êtes trop rapides pour moi! Je voudrais bien vous écrire longuement, mais je suis terriblement prise aujourd'hui…

Je passe tout mon dimanche avec Félix. (Pas vrai, je garde la terrible petite voisine.) Quel incroyable romantique! Il n'arrête pas de me susurrer (oui, oui, Ringo, susurrer! Cherche dans le dictionnaire!), je disais donc qu'il n'arrête pas de me susurrer des mots doux à l'oreille… (Pas vrai, elle crie sans arrêt et pleurniche pour tout et pour rien: «J'AI FAIM! Je veux aller dehors! Je veux rentrer! J'ai soif!») C'est une journée de rêve. (Pas vrai, c'est un cauchemar. Un terrible et interminable cauchemar. AU SECOURS!)

Bref, j'ai tout juste le temps de vous dire que je vous adore, tous les trois, pour la vie. Que vous êtes bien trop précieux pour que je risque de remettre cette amitié en jeu en devenant la petite amie de l'un de vous.

Par contre, je ne jure pas de n'écrire à aucun de vous en privé (parce que je sais que je ne tiendrais pas ma promesse. N'est-ce pas, Pinotte?) et je ne jure pas non plus de trouver les blagues de Ringo géniales (pour la même raison).

DE: Ringo

À: Pinotte

Wow! Recevoir un message privé de ta part, accompagné de trois x (des x minuscules!), les enrober seulement d'amitié (tu insistes là-dessus, trois fois plutôt qu'une!), je ne sais trop encore si ça doit me frustrer ou me flatter... Selon mon interprétation, tu comprendras que mon «Wow!» du départ peut être soit ironique, soit ravi...

Selon Wikipédia, la plupart des virus mesurent à peine 250 nanomètres. Je n'ai aucune idée de ce que ça représente vraiment, mais ça me semble plus petit que les portions de dessert auxquelles nous avions droit quand nous avons changé de chef cuisinier. Quelle tarte, ce Mario! Il faut dire que c'était difficile de succéder à madame Dionne. Je garderai toujours un souvenir ému de ses carrés aux dattes. Savez-vous pourquoi elle a quitté le camp au milieu de l'été, au fait?

Le virus qui a décidé de faire du camping sauvage dans mon ventre est minuscule, mais il fait des ravages. Fièvre, frissons, mal de bloc... Plaqué, le Spatule. Un plaqué salaud. Si j'étais arbitre, je lui décernerais une punition de partie.

Plaqué par un virus qui mesure à peine 250 nanomètres, et qui m'a pourtant empêché de participer au premier match! Je suis resté sur la ligne de touche, à regarder le gros Turcotte me ravir mon poste.

En plus, mon instructeur m'a mis au régime! Moi, un joueur de ligne! Il veut que je perde 10 kilos! Je n'aurai plus que la peau et les os, comme Einstein!

Et ce n'est pas fini : j'ai appris par mon cousin qui habite à Montmagny que Chloé sortait avec Mathieu. Vous ne connaissez pas Mathieu, évidemment, mais un seul mot suffit pour le décrire : le gars se prend pour un poète ! Un poète ! Je crois que je hais les poètes encore plus que les clowns !

Peut-être que le virus dérègle aussi mon cerveau, à bien y penser. Je ferais mieux de me taire.

Bonne nuit, les amis ! Heureusement que vous êtes là !

Oh non ! Mon pauvre Spatule ! C'est la fièvre
qui te fait délirer : tu aimes bien la poésie, je me
rappelle avoir passé des soirées au camp, près
du feu, à inventer des poèmes (et à rire de bon
cœur, je l'avoue, en faisant rimer *passion* avec
jambon et *infini* avec *macaroni*).

Sérieusement, je suis désolée pour Chloé. C'est
décevant. Encore plus désolée pour le match raté.
Et infiniment plus désolée pour le méchant virus
qui t'attaque.

En ce qui concerne madame Dionne, j'ai entendu
des rumeurs… Je ne sais pas si elles sont vraies,
mais je les partage avec vous. Il paraît que la pauvre
était complètement et éperdument amoureuse,
pour la première fois de sa vie, à en perdre la tête.
Vous vous souvenez du goût étrange des pâtes
sauce alfredo ? On raconte qu'elle avait mis de
la colle au lieu de la sauce blanche, ce qui expliquait leur curieuse consistance… Et le petit goût
piquant du pouding chômeur ? Eh oui, elle aurait
utilisé une bouteille de whisky au lieu du sirop
d'érable… Tout ça par la faute de Kiwi, à qui
elle rêvait jour et nuit, mais qui n'a pas su lui
rendre son amour… Triste.

(Précision : rien de tout ça n'est vrai, bien sûr, et je n'ai malheureusement aucune idée de ce qui l'a poussée à s'en aller, mais j'espère avoir pu te soutirer un petit sourire, Spatule… Peut-être que ton virus mesure à présent quelques nanomètres de moins ?)

Allez, repose-toi. Je t'embrasse (de très, très loin, pour éviter la contagion).

DE : Spatule

À : Coccinelle (et aux autres)

Tu as réussi à m'arracher un sourire. Merci !

Tu as raison, j'adore les poèmes quand je les comprends, mais ça n'arrive malheureusement pas souvent ! J'aime bien les poètes quand ils ne se prennent pas trop au sérieux. Malheureusement, *Mathieu* rime avec *sérieux* !

Penses-tu qu'on devrait publier nos poèmes de jambon ?

DE : Pinotte

À : Spatule (et Coccinelle, et Ringo, évidemment)

Pauvre petit pou… Je pense à toi, Spatule !

Mais quelle sorte d'entraîneur as-tu ? Maigrir de 10 kilos ! Et dire que le mien m'oblige à grossir et me force à mettre des tonnes de protéines dans mon lait au chocolat après les entraînements. Si on pouvait seulement faire un petit transfert de poids… C'est nono, la vie, des fois.

Et puis, roulement de tambour…

MOI, je sais pourquoi madame Dionne a quitté mystérieusement le camp !

Et ce n'est pas une histoire romantique. Loin de là.

Vous êtes prêts ?

Paraît qu'ils ont trouvé le filet à cheveux de madame Dionne dans le chaudron de sauce à spaghetti ! Ce soir-là, on en avait tous mangé ! Et Spatule, tu en avais repris trois fois. Elle est partie le lendemain. Pauvre tite madame Dionne. Congédiée pour une histoire de filet.

C'est ce que j'ai su par Kiwi qui avait entendu miss Mimosa raconter l'anecdote au téléphone.

J'avais juré de ne rien dire. C'est vrai que ses desserts étaient légendaires… Te souviens-tu, Ringo, de l'expédition nocturne qu'on avait faite tous les deux pour piquer le plat géant de pouding chômeur? On était tellement énervés qu'on avait ramené un plat de sauce à *hot chicken*.

Bon, maintenant, jurez-moi sur la tête du méchant virus de Spatule que vous ne répéterez jamais cette histoire de filet à cheveux à personne! J'avais promis à Kiwi de ne rien révéler.

Zéro secret dans la Bande des Quatre. Entre nous, on se dit tout, mais on ne répète rien! C'est la règle!

Bon courage, Spatule! Donne-nous vite des nouvelles!

Dis donc, Spatule, dois-je écrire que tu en prends
pour ton rhume ou que ton entraîneur, sûrement
apparenté à Kiwi, t'a pris en grippe?

Je suis navré d'apprendre que ça ne va pas
bien. Les filles ne comprendraient pas ça, mais
moi, je sais que lorsqu'un gars est malade, il est
VRAIMENT malade! Mon père ne cesse de me
répéter qu'il n'y a rien de pire qu'une bonne
grippe d'homme… Je n'ai pas hâte de devenir
un homme, parce que, chaque fois que la grippe
d'homme le frappe (surtout l'hiver), il passe son
temps au lit à se lamenter et à répéter qu'il va
mouriiiiiiir! Et ma mère, sa femme, son épouse
bienveillante, hausse les épaules et fait la moue,
comme s'il ne s'agissait que d'une vulgaire et
banale maladie. Elle lui dit tout le temps: «Tu
n'avais qu'à aller te faire vacciner!» Et mon père
répond, aux portes de l'au-delà: «Non! J'aime
mieux mouriiiiiiir!»

Ah, ça, il a le sens du dramatique, mon père.

Mais pour en revenir à toi, Spatule, et au risque
de paraître égoïste, j'espère que tu vas te rétablir
assez rapidement pour ne pas rater le match à

Victoriaville. Je rêve de ce jour où tu vas écrapou (Coccinelle, ne me reprends pas, je t'en prie) cet imbécile de Charbonneau. Et puis, au diable les consignes de l'entraîneur : il ne faut pas que tu perdes 10 kilos. Tu dois engraisser de 10 kilos ! Pour enfoncer davantage Charbonneau dans le gazon ! Je veux voir la forme de son corps de brute imprimée dans le terrain !

Tiens, j'ai écrit ce petit poème pour toi :

Spatule a un méchant virus
Qui est entré par son plexus

(Hé ! je te vois sourire, Spatule !)

Sa belle Chloé l'a laissé tomber
Comme une vieille chaussette trouée
Pour Mathieu, un triste poète…
Dans sa tête, ça fait pouet, pouet, pouet…

(Hé ! avouez que j'ai un certain talent !)

Son coach lui demande de perdre du poids
C'est vrai que lui, son cerveau est de la taille d'un pois
Reviens-nous vite en santé, mon ami
Car il y a un Charbonneau qui sera écrapouti !

Ringo Starr (mon nom de pouète)

DE : Spatule

À : Vous, les poètes

Wow ! Je me réconcilie
Avec la poésie !
Ça peut être aussi exquis
Que du macaroni !

Pinotte, si je me rappelle notre expédition nocturne? Et comment! Mais si j'avais accepté d'y participer, ce n'était pas pour le plat de pouding chômeur! C'était pour passer une partie de la nuit avec toi. Avant que je ne m'introduise dans la cuisine, par la fenêtre (bien sûr, tu ne voulais plus y aller: il y avait des toiles d'araignées à travers le cadre), tu m'avais touché la main. Je n'arrêtais pas d'y penser quand je suis entré dans la pièce et j'ai pris le premier plat que j'ai aperçu dans le frigo: le plat de sauce à *hot chicken*. Donc, tout ça, c'était ta faute.

Pour la pauvre madame Dionne, je continue de soupçonner Kiwi. Il a l'esprit assez tordu, celui-là, pour avoir mis un filet de notre cuisinière préférée dans la sauce à spaghetti. C'est son genre de tour.

Je vous laisse, car j'ai de la difficulté avec un devoir de mathématiques. Un dernier poème pour Spatule:

Tu me pardonneras, Spatule,
Si je t'abandonne pour une histoire de calculs.
Et toi, n'oublie pas d'avaler tes pilules.

DE : Pinotte

À : Vous trois

Il fallait que je vous parle. Vous ne devinerez jamais ce que je viens de croiser en face de chez moi, ce soir ! Un raton laveur deux fois plus gros que la mouffette empaillée du camp ! D'où sortait-il ? Mystère. Je vous rappelle que j'habite en ville ! J'ai eu aussi peur que le soir où j'ai rencontré le porc-épic en faisant ma corvée de bois !
Tu t'en souviens, Coccinelle ?

Est-ce qu'il aurait pu m'attaquer ? Est-ce que les ratons mangent des Pinotte ? Tiens, je pourrais faire un poème, moi aussi !

Quand j'ai vu tes yeux
De raton heureux
J'ai tout de suite pensé
Que je devais filer
J'ai couru chez nous
Mais je te vois partout
M'attends-tu
Au coin de la rue ?
Si je sors, y seras-tu ?

Ha ! ha ! Pas mal, non ? Je suis aussi forte que toi, Ringo !

Est-ce que tu vas mieux, Spat ?

Je vais un peu mieux, mais je prendrai quand même quelques jours de congé pour me rétablir. Je vous ai déjà expliqué que je me rends à l'école en avion chaque jour, n'est-ce pas ? La traversée ne dure que cinq minutes, mais je n'ai pas envie d'utiliser le sac de papier !

Je ne comprends pas pourquoi les gens font tout un plat (!) d'un simple cheveu trouvé dans une assiette. Je suis prêt à admettre qu'un filet à cheveux dans la sauce est un peu plus dégueulasse, mais il n'y a pas de quoi congédier quelqu'un. Tout le monde peut faire des erreurs, non ? Et qui sait si la sauce aux cheveux ne deviendra pas un mets prisé (je n'ai pas dit frisé !) dans le futur ? C'est sûrement une bonne source de fibres !

Voici mon poème du jour :

J'ai cherché une rime riche avec Kiwi
Mais je n'ai trouvé que le mot pee-wee.
Ça confirme ce que j'ai toujours dit :
Kiwi, ça ne rime à rien ! Merci !

DE : Coccinelle

À : Mes trois amis pour la vie

J'espère que ça va mieux, Spatule.

J'ai une mauvaise nouvelle. Très, très, très mauvaise.

Pire que de croiser un raton laveur dans la rue
(bien sûr que je te crois, Pinotte !). Une nouvelle
pire qu'un devoir de mathématiques (même si
je compatis, Ringo). Peut-être même pire que
ton virus, pauvre Spatule (ce n'est pas peu dire !).

Je fais du théâtre avec la troupe de l'école, et
j'ai eu un premier rôle (non, ce n'est pas ça la
mauvaise nouvelle, laisse tomber les mauvaises
blagues, Ringo !).

Nous avons des répétitions deux soirs par semaine,
et à partir du début octobre, j'en aurai toutes
les fins de semaine aussi… donc pas de football
à Victoriaville pour moi ! Je suis vraiment désolée
de vous laisser tomber, les gars, mais je vois mal
Cyrano de Bergerac répéter sans sa Roxane…

Voilà. J'espère qu'on trouvera une autre occasion
de se revoir d'ici l'été prochain.

Changement de sujet : est-ce que j'ai rêvé, Pinotte,
ou tu as parlé, il y a quelques jours, d'une « longue »

discussion avec Kiwi? D'une invitation? Alors, qu'est-ce qui se passe? RACONTE!

Et je termine à mon tour avec mon poème du jour:

L'été au camp était merveilleux
Presque autant qu'un jambon moelleux.
Les soirées à refaire le monde autour du feu
Les légendes qui nous faisaient briller les yeux
Voilà des souvenirs à l'infini…
Mais je n'arrive pas à placer macaroni.

OK, ça répond à ta question, Spatule? Non, je ne crois pas qu'on devrait publier nos poèmes de jambon.

DE : Spatule

À : Coccinelle (et aux deux autres)

Dommage !

DE : Ringo

À : Vous autres

Ah, Pinotte, tu ne trompes personne avec ton poème (il est pas mal, tout de même). Tu changes *raton* pour *garçon* et il devient évident que tu parles de moi. Lis plutôt :

Quand j'ai vu tes yeux
De garçon heureux
J'ai tout de suite pensé
Que je devais filer
J'ai couru chez nous
Mais je te vois partout
M'attends-tu
Au coin de la rue ?
Si je sors, y seras-tu ?

Ma réponse est : OUI !

C'est bubli… subi… sublibli… sublim… aaaaaaaaaaargh ! C'est quoi, le mot, Coccinelle, pour dire que Pinotte vise mon subconscient pour alerter mon conscient ? Subliminimal ? Subliminal ? Oui, c'est ça ! Subliminal ! Merci, Coccinelle.
Ta vaste culture ne cesse de m'épater.

Spatule, je constate à ta réponse que tu es un garçon de peu de mots… Et j'hésite à mettre *mots* au pluriel puisque tu n'en as utilisé qu'un seul.

Par contre, ton poème est criant de vérité. Kiwi qui ne rime à rien, c'est tellement bien (je fais des rimes, moi aussi).

Enfin, Coccinelle, c'est pas sérieux, le théâââtre! Cyrano de Bergeron? L'histoire du roc, du pic, du cap, de la péninsule? Avec la fille, là, Roxane? Tu m'en vois désolé (entre nous, ce n'est pas ainsi que le pauvre Spatule va se porter mieux)… J'aurais tant aimé que tu sois à mes côtés pour applaudir le moment où Spatule va écrapou Charbonneau. J'appuie le propos de Spatule: dommage!

J'ai hâte que tu reprennes du pic, Spatule. Prends ton temps pour bieeeeeeen récupérer.

DE : Coccinelle

À : Vous trois, mais à Pinotte en particulier

Pinotte, tout va bien ? Tu es là, ma petite Pinotte ?
Je commence à m'inquiéter… Tu t'es rendue au
rendez-vous proposé par Kiwi et tu n'en es jamais
revenue, c'est ça ?

Rassure-moi vite avant que je ne lance un avis
de recherche !

DE : Spatule

À : ...ttention !

Si jamais Kiwi a fait du mal à notre Pinotte, il va nous trouver sur son chemin ! N'est-ce pas, Ringo ?

DE: Ringo

À: Vous

Si Kiwi a touché ne serait-ce qu'à un cheveu de ma… euh… de notre Pinotte, le ton de sa voix va grimper de deux octaves, je vous le garantis!

DE: Coccinelle

À: PINOTTE, et Ringo, et Spatule

Pinotte? Ma petite Pinotte? Ça y est, tu es rentrée? Ça fait au moins sept minutes et huit secondes que je t'ai envoyé mon message précédent, et toujours pas de nouvelles…

J'ai le téléphone entre les mains. J'ai déjà composé 9 et 1. Il me reste seulement le dernier 1 à faire pour signaler ta disparition.

Allez, dernière chance: réponds!!!!!

DE : Pinotte

À : Mes seuls vrais amis

Désolée si vous vous êtes inquiétés. Je vous envoie la conversation que j'ai eue avec Kiwi, en ligne, cette semaine…

Pinotte ?

Oui.

Ça va ?

Oui. Toi ?

J'ai deux billets pour le spectacle de Blind Men Seen. Ça te tente ?

Cool ! C'est où ? C'est quand ?

Samedi. Au Pavillon de la jeunesse. C'est près de chez toi, ça, non ?

À côté.

Il n'a rien ajouté. Je n'ai pas eu d'autres nouvelles, mais j'avais super hâte au samedi. Le matin du spectacle, il est apparu en ligne. J'étais tellement énervée.

(C'est ce qui est génial, en ligne, rien ne paraît.)

Pinotte? Es-tu là?

Oui.

Tu veux toujours aller voir le spectacle de BMS?

Ouaip!

Parfait. Es-tu chez toi cet après-midi?

Oui...

Good. Mon frère va t'apporter les deux billets.

Ton frère?

C'est lui qui les a. Il voulait me les refiler, mais j'aime pas vraiment BMS. Pas mon genre de musique. Et comme tu habites à côté, j'ai pensé à toi.

Ah.

Bonne soirée!

Finalement, j'ai donné les billets à mon ami Jérôme. Je ne connais même pas Blind Men Seen. Quelqu'un peut me dire comment j'ai pu imaginer que Kiwi puisse inviter une Pinotte sans intérêt?

Je suis nulle, nouille et naïve.

Spatule, laisse-moi pousser un soupir de soulagement. Ma… euh… notre Pinotte n'était pas en danger. Seul son orgueil de fille a été touché. Si Kiwi avait osé lui faire du mal, je l'aurais asphyxié avec ses propres bobettes sales. Avec ton aide.

Pauvre petite Pinotte! Tu vois, je ne veux pas te faire la leçon et être celui qui t'avait prévenue, mais c'est ça qui arrive avec des gars comme Kiwi. L'essentiel, c'est que tu comprennes que tu dois te tenir éloignée de lui, qui ne réalise pas la chance merveilleuse qu'il avait de passer une soirée en ta compagnie, à crier (il y a de quoi crier: Blind Men Seen!), à sourire.

C'est navrant.

DE : Coccinelle

À : Ringo, Spatule et une Pinotte déprimée

Minute, Pinotte, on se calme ! Je n'accepterai pas
que tu te traites de nulle, de nouille et de naïve.
Tu es drôle, dynamique et diablement irrésistible,
à mon avis ! Et si Kiwi ne s'en rend pas compte, il
a un sérieux problème (même s'il est beau, je dois
l'admettre). Il vient de baisser pas mal dans mon
estime, ce Kiwi (si beau soit-il). Je ne comprends
pas à quoi il a pensé pour agir ainsi. Probablement
qu'il n'a pas pensé du tout, en fait (mais on ne
peut pas lui enlever une chose : il est beau,
malgré tout).

Sérieusement, Pinotte, il s'agit d'un simple malen-
tendu, qui n'a rien à voir avec la nullité, la naïveté
ou la « nouillitude ». Pour Kiwi, c'était clair qu'il te
donnait les billets. Pour toi, c'était tout aussi clair
qu'il t'invitait. Rien pour te remettre en question
comme tu le fais. Kiwi a tout de même pensé à
toi, et il se rappelait où tu habitais, non ?

Je suis certaine que Ringo et Spatule sont d'accord
avec moi : tu es adorable, aimable et amusante.
Tout le monde t'aime ! Allez, souris ! Et si mes argu-
ments ne te redonnent pas le sourire, souviens-toi
de la fois où Ringo, tentant d'impressionner une
autre aspi (Porcelaine, pour ne pas la nommer),
faisait le coq sur le pont de corde de la piste

d'hébertisme… et qu'il est tombé droit sur les fesses, dans la boue! Il a passé le reste de la soirée avec un beau cercle brun sur son pantalon de jogging gris, et Porcelaine ne lui a pas jeté un seul regard!

Ça y est, le sourire est revenu?

DE: Pinotte

À: Vous trois

Tu as réussi, Coco. J'ai souri. Un exploit…

DE: Ringo

À: Vous autres

Tant mieux si le sourire de Pinotte est revenu…
Le mien vient de disparaître au rappel de cet
horrible souvenir. Porcelaine… Et moi, j'avais
l'air d'un porcelet. Merci, Coccinelle, de m'aider
à bien démarrer ma journée…

Ringo Sarcastique

Je me souviens aussi de ce jour mémorable où Ringo a laissé l'empreinte de son postérieur dans la boue. Il a au moins le mérite d'avoir essayé de traverser le pont! Moi, j'avais trop le vertige. Je déteste les ponts de corde, mais je déteste encore plus Kiwi. (Au fait, le trouves-tu beau, Coccinelle? Mon gros doigt me dit que oui. Je ne comprends pas pourquoi. Tu ne donnes pourtant pas d'indices.) Si un jour, au cours d'un prochain camp, Kiwi s'adonne à passer sur le pont de corde, je m'engage à surmonter mon vertige et à le traverser, en espérant qu'il cède sous mon poids et que Kiwi soit écrapou!

Un pour tous, tous pour un, Pinotte! Tu as peut-être perdu tes illusions au sujet de Kiwi, mais tu sais que tu as trois amis à tes côtés!

J'ai quatre bonnes nouvelles, les copains! Des super bonnes nouvelles! J'ai d'abord montré à mon virus la photo de Kiwi, et il est mort de peur. Je suis guéri!

La deuxième bonne nouvelle, c'est que j'ai repris mon entraînement et que mon instructeur m'a muté au poste de plaqueur! Ça signifie que mon rôle sera de foncer sur le quart-arrière ennemi pour le plaquer. Charbonneau découvrira bientôt que lorsqu'on s'attaque à ses amis, Spatule peut devenir très méchant.

Je vais tout faire pour planter ton Charbonneau, Ringo, mais pas trop profondément : je ne voudrais pas que pousse un arbre à guédilles !

La troisième bonne nouvelle, c'est que mon père participe de plus en plus activement à mon entraînement. Il m'enseigne ses trucs de lutteur, et ça m'est drôlement pratique. J'espère bien utiliser ces trucs pour terrasser Charbonneau !

Et maintenant, voici la quatrième bonne nouvelle. Roulement de tambour… Elle a traversé la cafétéria pour venir me trouver ! Elle, c'est Chloé, pas Solange ! ELLE l'a fait très lentement, cheveux au vent, marchant d'un pas confiant. Toutes les conversations se sont arrêtées, tous les yeux se sont tournés vers elle.

Elle s'est assise en face de moi, m'a lancé un regard de braise et m'a proposé d'une voix sensuelle : « Mes parents partent pour le chalet en fin de semaine. Qu'est-ce que tu dirais de venir me tenir compagnie ? On pourrait jouer au scrabble. »

Que dites-vous de ça ? Super, non ?

Il ne vous reste plus qu'à trouver laquelle de mes quatre affirmations était un mensonge! Ne comptez pas sur moi pour vous donner des indices.

(Toujours pas de nouvelles de ton appareil photo, Pinotte?)

DE : Coccinelle

À : Comme d'hab

Ha! ha! ha! ha! ha… Avant même que tu ne dises qu'il y avait un mensonge, il me semblait bien que quelque chose clochait… En tout cas, bravo pour tes trois bonnes nouvelles!

J'en ai une aussi: j'ai enfin eu le courage de laisser Félix (vous vous rappelez, mon *chum* imaginaire?). Ce matin, Pascal est venu me voir à la cafétéria (pour de vrai, Spatule). Non, les conversations ne se sont pas arrêtées, aucun regard ne s'est tourné vers lui (même pas le mien, je fixais obstinément mon muffin). Pascal a prononcé mon nom. J'ai fait semblant de ne pas entendre. Il l'a répété plus fort. Pas eu le choix de lever les yeux.

– Ah, salut, Pascal, je ne t'avais pas vu…

– Comment va Félix?

J'ai décidé de donner un grand coup. Là. Comme ça. Froidement. J'allais en finir avec cette histoire. Cesser de m'enfoncer dans les mensonges. Alors, j'ai dit:

– Faudrait lui demander, je n'ai plus de nouvelles…

– C'est fini?

(Il ne réussissait même pas à cacher son immense sourire! Merci pour la compassion!)

J'ai fait oui et je me suis obligée à imaginer quelque chose de triste pour avoir les larmes aux yeux. J'ai pensé au fait que j'allais rater notre rencontre à Victoriaville et ça a marché. Pascal me croyait. Je l'ai vu dans ses yeux. Je pesais trois tonnes de moins. J'allais m'éloigner, légère et heureuse, quand il a ajouté:

– Alors, j'ai peut-être une chance, maintenant...?

Je ne savais pas comment lui dire qu'il n'en aurait jamais sans lui faire de peine. Devinez ce que j'ai répondu?

– Non, je ne crois pas... Est-ce que je t'ai déjà parlé de Gabriel?

Puis, je me suis sauvée en courant. Gabriel est du même genre que Félix. Invisible et imaginaire. Je n'ai pas trouvé mieux.

Quel caaaaaaaauuuuuuuuuchemar!

(Hé, c'est vrai, Pinotte, tu l'as retrouvé, cet appareil?)

Vous me faites rire avec vos histoires compliquées.
Coccinelle, tu as toujours les bons mots pour me
remonter le moral, je ne sais pas comment tu fais.
Vos messages me font rire, mais ils me dépriment
aussi des fois. Je vous lis et je réalise que j'ai zéro
imagination, moi. Vos histoires de *chum* imaginaire,
de fille qui traverse la cafétéria cheveux au vent, vos
vérités et mensonges, les jeux de mots de Ringo,
tout me fait rire. Moi, je suis incapable d'inventer
quoi que ce soit. Même le raton laveur, je l'ai vu.
J'aurais pu l'imaginer, mais non. Peut-être que j'ai
zéro personnalité ?

Je n'ai toujours pas mon appareil photo.
Miss Mimosa m'a conseillé d'écrire au Vieux
Hibou. Paraît qu'il ramasse tout ce qui traîne
à la fin des camps. On ne sait jamais.

Je vous laisse, je suis crevée morte. J'arrive de
mon entraînement de badminton.

C'est *cool* de s'écrire, mais ce soir, je trouve que
c'est vraiment nono qu'on soit si loin. Je m'ennuie
de nous quatre en vrai. Et si j'ai bien compris,
un Skype, c'est impossible.

Bonne nuit ! x

DE: Ringo

À: Ma bande de trois

(Même si on est quatre ; je ne m'inclus pas, évidemment. Je n'ai pas à me donner des nouvelles.
Au fait, Coccinelle, tu as remarqué mon beau
point-virgule ? Avoue que ça t'impressionne ! Il y
a combien de points-virgules depuis le début de
notre correspondance ? Combien ?)

Spatule, j'espère sincèrement que ton seul mensonge – je n'ai pas écrit *menterie*, Coco ! – soit celui
de la traversée de la cafétéria ! Bien que ce serait
le plus agréable des quatre pour toi. Mais pour
moi, de savoir que tu renoues avec la compétition,
au poste de plaqueur en plus, pour écrapoutir ce
Charbonneau, ça vient de faire ma journée !

Ben dis donc, Coccinelle, tu as le tour de rendre
tout ça compliqué ! Lâche les amours imaginaires !
Tu perds du temps et de l'énergie, ce temps et
cette énergie que tu pourrais me consacrer pour
m'aider dans mes devoirs. J'ai un gros problème
de mathématiques que je n'arrive toujours pas
à résoudre. Peux-tu m'aider ? *Pleaaaaaaase !* (Ça
veut dire « s'il vous plaît », en anglais ; je sais que
tu es bonne en français, mais pouiche *in english* !
Deux remarques : un nouveau point-virgule dans
la conversation et une rime décidément géniale.
Arrêtez-moi, je suis en feu !)

J'ai hâte que tu retrouves ton appareil photo, Pinotte! Quand ce sera le cas, je t'en prie, efface toutes les photos de Kiwi et celle où je tombe les fesses les premières dans la boue, au pont de corde. Je n'y tiens pas particulièrement.

Pinotte, tu n'as peut-être pas d'imagination, mais tu as un smash du démon au badminton! On pourrait faire la paire, toi et moi, sur un terrain. On battrait tout le monde. Bien sûr, je te laisserais prendre le volant – avoue que je te fais rire, là.

DE: Spatule

À: Coccinelle et aux autres

Je sais que je me répète, chère Coccinelle, mais puisque tu sembles désespérément avoir besoin d'un ami imaginaire, pourquoi ne s'appellerait-il pas Spatule? Tu l'aurais rencontré au camp, il habiterait sur l'Isle-aux-Grues, il jouerait au football... On saurait tous les deux que ce n'est pas vrai, mais ça me ferait quand même plaisir!

DE : Pinotte

À : Coccinelle et aux deux gars, mais surtout
à Coccinelle

Je suis d'accord avec cette idée! Spatule serait
le meilleur amoureux (imaginaire ou pas) que
tu puisses avoir… C'est tout. Rien à ajouter.

DE : Coccinelle

À : Spatule et aux autres

Eh bien, j'avoue que ça me simplifierait la vie,
Spatule! Pas besoin d'inventer, je n'aurais qu'à
lui décrire ce que tu fais, qui tu es… Je serais sûre
de ne pas me tromper dans mes histoires, et le
fait que tu habites si loin justifierait aussi qu'il ne
te rencontre pas… L'idée n'est pas mauvaise du
tout! Demain, je lui dirai : « Gabriel ? Non, tu as
dû mal entendre, il s'appelle Spatule! »

Quant à toi, Ringo, bien sûr que j'ai remarqué
ton point-virgule! (Bravo!) Et n'essaie pas de me
provoquer avec tes défis du genre : « Combien il y
en a depuis le début de notre correspondance ? »
Pas question que je te le dise, j'aurais l'air bien
trop compulsif de celle qui a tout relu (bon, OK,
il y en avait quatre avant celui d'aujourd'hui). Pas
question non plus (pour de vrai, cette fois) que je
t'aide en mathématiques. Je l'ai envisagé, jusqu'à
ce que tu me traites de pouiche *in english*. Pffft…
débrouille-toi tout seul!

Je ne t'oublie pas, chère Pinotte! Qu'est-ce que
c'est que ces histoires ? Penses-tu vraiment que
Ringo, Spatule et moi, formidables (et modestes)
comme nous sommes, on se tiendrait avec
quelqu'un qui a zéro personnalité ? Et surtout,
tu as la mémoire courte… Pas d'imagination, toi ?

Tu as déjà oublié la fois où tu nous as tous jetés à terre avec ton déguisement d'extraterrestre conçu seulement avec un sac-poubelle noir, du papier alu et un casque de bain noir que tu avais mis sur ton visage? C'était hallucinant! Et ce grand jeu de nuit que tu avais organisé pour l'équipe des 8-10 ans, les esprits de la forêt? Ton histoire leur a fait si peur qu'on n'a jamais pu les rendormir après! Ils ont pleuré jusqu'à 3 heures du matin. C'est pas de l'imagination, ça, miss?

Je croise les doigts pour que le Vieux Hibou ait ton appareil. S'il l'a, tu m'envoies immédiatement la photo de Ringo dans la boue, n'est-ce pas? Hé! on devrait la proposer à miss Mimosa, même! Ce serait bien trop rigolo en première page du dépliant publicitaire du camp, non?

Moi aussi, je m'ennuie de nous quatre en vrai… On se revoit quand?

Soupir.

DE : Pinotte

À : Vous trois

Hé! Un Skype? Youhou?

L'idée de placer la photo de Ringo à la une
du dépliant est trop géniale! Juste pour ça,
je dois trouver mon appareil photo!

Connaissez-vous un peu le football, les filles? Comme son nom l'indique, le plaqueur est chargé de plaquer les porteurs de ballon adverses. Quand le quart-arrière recule pour faire une passe, mon travail est de foncer sur lui et de le faire tomber, si possible avec moi par-dessus lui: de cette façon, il ne peut VRAIMENT pas passer le ballon à un de ses amis. C'est ce qu'on appelle le sac du quart. Si je le frappe assez fort pour qu'il perde le ballon et qu'un de mes coéquipiers le récupère, je suis le héros du match.

Je commence à comprendre que ce n'est pas si facile que ça en a l'air. Il y a d'abord un zigoto pas mal plus gros que Ringo qui se trouve sur la ligne de mêlée, juste en face de moi, et dont le seul travail est de m'empêcher de passer. Il est aussi costaud que moi, sinon plus, et il connaît toutes les tactiques pour m'arrêter.

Si j'arrive à le déjouer, je ne suis pas au bout de mes peines. La plupart du temps, je dois encore contourner un autre joueur, le demi offensif, avant d'atteindre le quart-arrière. Il est lui aussi plus gros que Pinotte.

Si j'y parviens, il est souvent trop tard : il a eu le temps de donner le ballon ou de faire sa passe, et je n'ai plus le droit de le frapper.

Vous me suivez ?

Je n'ai pas réussi un seul sac du quart cet après-midi, quand j'ai joué mon premier match de la saison. Nous avons quand même gagné 27-21, et mon instructeur m'a dit que j'avais fait du bon travail dans les circonstances. J'ai même trouvé un truc pour attraper la rage sans me faire mordre par un chien : j'imagine que le quart est Charbonneau, et ça décuple mon énergie.

Il ne se passe pas une journée sans que je pense à ce match de football qui m'opposera bientôt à Charbonneau. J'ai commencé aussi à réfléchir à ce que je lui glisserai à l'oreille quand je le ferai reculer de 20 verges avant de l'enfoncer 2 pieds sous terre (pas 6, quand même ! Je tiens à ce qu'il se relève pour le plaquer à nouveau au jeu suivant !). (Au fait, puisqu'il y a 3 pieds dans une verge, pourquoi ne dit-on pas « enterré 2 verges sous terre ? ») (J'abuse des parenthèses, c'est vrai !) Quand je me relèverai, je regarderai vers les estrades et j'apercevrai Ringo. Il sera peut-être loin, mais je distinguerai clairement l'éclat de son sourire.

Ensuite, je vous verrai lever les bras, les filles. Vous ne pouvez vraiment pas vous arranger pour être là? Convoquez les esprits de la forêt et trouvez quelque chose! L'occasion est trop belle!

P.-S. – Quelqu'un a-t-il pensé faire appel aux services d'un chien pisteur pour retrouver l'appareil photo? Le chien sénile de Vieux Hibou pourrait faire l'affaire, qui sait?

P.P.-S – Avez-vous remarqué que je n'ai pas utilisé de point-virgule? Si oui, c'est que vous n'avez vraiment rien à faire! (J'utilise beaucoup de parenthèses, par contre!) (Aviez-vous remarqué?)

DE : Pinotte

À : Spatule et aux autres

Je suis tordue, Spat! Donner le titre de chien pisteur au chien sénile qui bave, qui bâille, qui pue, qui dort et qui ne fout jamais rien. On lui demanderait de chercher l'appareil photo qu'il reviendrait avec un sac de chips au ketchup.

DE : Ringo

À :   Spatule, Coccinelle, Pinotte

Spatule, je te cite : « Si je le frappe assez fort pour
qu'il perde le ballon et qu'un de mes coéquipiers le
récupère, je suis le héros du match. » Si tu écrapous
Charbonneau, non seulement seras-tu le héros du
match, mais surtout tu seras le mien !

Et après le match, si j'étais une fille, je t'embrasse-
rais ! Mais comme je ne le suis pas (heureusement,
sinon, je ne comprendrais rien au football – salut,
les filles ! ☺), je te donnerai une grosse « bine » sur
l'épaule. Comme tu auras tes épaulettes, épaulettes que tu auras gagnées, maluron, malurette,
je m'écorcherai les jointures. Rien que pour voir
la face et le casque de ce Charbonneau imprimés
dans le gazon synthétique – ben oui, chose, on a
du gazon synthétique sur notre terrain de football
dans mon Victoriaville –, ça en aura valu la peine !

DE : Coccinelle

À : Ringo (oui, oui, toi seulement)

Ringo, mon ami Ringo, j'ai une nouvelle
incroyable! Magnifique! Merveilleuse! (Bon,
j'arrête avec mes synonymes, tu saisis l'idée!)
(Juste pour être certaine, tu sais ce que veut
dire *synonyme*, Ringo? ☺)

Imagine-toi donc que le metteur en scène de ma
pièce nous a annoncé aujourd'hui qu'il avait une
importante audition le samedi 30 octobre… et
qu'il devait remettre notre répétition au lendemain! Je suis LIBRE le 30 octobre! Tu comprends?
C'est pas incroyable, magnifique et merveilleux?

J'ai expliqué à mes parents combien c'était
important pour moi de vous voir, et ILS SONT
D'ACCORD! Ils viendraient me conduire chez
toi, ils iraient passer l'après-midi chez un ami
qui habite pas trop loin et me reprendraient
ensuite… Je nage dans le bonheur!

Pourquoi je t'écris juste à toi? (Quelle excellente
question! Bravo, Ringo!) C'est parce que j'ai ima-
giné qu'on pourrait faire la surprise à Spatule!
Ce serait encore mieux, non? On ne dit rien… et
il nous voit arriver tous les deux près du terrain
avant le match! Qu'en penses-tu? Je peux aller
chez toi?

J'attends ta réponse impatiemment! (Aucune pression. Mais tu dois savoir que si c'est non, je t'en voudrai jusqu'à la fin des temps.)

DE: Ringo

À: Coccinelle

Ah! c'est dommage, ma chère Coccinelle,
mais le match du 30 octobre a été reporté…
au 31 octobre alors que je me déguiserai, pour
l'Halloween, en courant d'air…

Hé! c'est une blague! C'est une super nouvelle,
ça! Remarque que j'ai eu un peu chaud sous
les aisselles en voyant que tu m'écrivais en privé.
Je me disais: «Ah! pas encore une autre! Déjà
que j'en ai plein les bras avec Pinotte. S'il faut
que Coccinelle s'en mêle en plus…»

Autre blague, évidemment. D'ordinaire, les filles
ne se bousculent pas pour m'écrire en privé. Je
dirais même qu'elles se privent de m'écrire pour
ne pas être bousculées…

Enfin…

D'accord, je serai motuche et bouse cousue (pas
certain de l'orthographe). Vas-tu le dire à notre
amie Pinotte? Peut-être que si elle sait que tu
assisteras au match, elle essaiera par tous les
moyens de se joindre à nous deux? Peut-être
également que si elle sait que l'on va passer tout
ce temps ensemble, toi et moi, elle éprouvera un

sentiment de jalousie toute féminine et voudra prendre sa place, entre toi et moi? Un gars peut toujours rêver.

J'ai très hâte de te revoir et d'observer le regard ahuri de notre copain Spatule quand il te découvrira dans les estrades.

Tu remercieras tes parents de ma part, veux-tu?

DE : Ringo

À : Spatule

Pourrais-tu me rendre un autre service ? Quelques
minutes avant d'écrabouiller ce cher Charbonneau
au cours du match de football, à Victoriaville, serait-
ce possible que tu manges une grosse gousse d'ail ?
Parce qu'au moment où tu vas lui faire sa fête,
ce serait à la fois drôle et cinglant de souffler ton
haleine d'ail dans sa face… Et n'oublie pas de le
traiter de Guédille-au-nez !

Remarque qu'à l'odeur de sueur qu'il porte en
permanence sur lui, il ne risque pas d'en être
affecté. C'est seulement au cas où…

Merci.

Grosse surprise hier soir en pitonnant d'une chaîne à l'autre à la télévision. Je suis tombé par hasard sur Einstein! Il participait à une émission pour les jeunes scientifiques dans laquelle il présentait un appareil de son invention qui lui permettait de capter les ultrasons émis par les chauves-souris! Je me suis souvenu qu'il nous en avait glissé un mot, au camp, mais personne ne l'écoutait, comme d'habitude. Les filles discutaient plutôt de la nouvelle coupe de cheveux de Kiwi et les garçons rêvaient à des trucs pour qu'il se noie.

J'ai ensuite changé de poste et je suis tombé cette fois sur une émission de téléréalité au cours de laquelle une certaine Cristelle affirmait qu'elle n'aimait pas les hypocrites à deux visages ni ceux qui parlaient dans son dos pendant qu'elle n'était pas là, comme Cassandra, par exemple, qui n'arrêtait pas de répéter que ses cheveux «sontaient teindus» pis c'est même pas vrai, c'est plutôt elle qui sait pas ses couleurs, celui qui le dit, celui qui l'est, genre! (Je résume comme je peux. Son monologue a duré une dizaine de minutes.)

En fermant la télé, je me suis dit que la cote d'écoute de l'émission à laquelle Einstein a participé devait être de 12 personnes (sa famille), mais qu'ils devaient être plus d'un million de téléspectateurs à écouter Cristelle débiter des niaiseries.

Je suis ensuite allé dans le garage pour continuer à m'entraîner en poussant des sacs de sable. Plus ça va, plus je sens que je suis sur le point d'attraper la rage.

Un conseil, Spatule : fais-toi vacciner contre la rage, mais après ton match de football à Victoriaville ! À ce propos, je t'envoie des photos de Kiwi et de Charbonneau prises sur leurs pages Facebook (Kiwi la rend accessible à tous et l'autre a une page créée par un de ses admirateurs – probablement lui-même). Tu pourras les imprimer et les coller sur ton sac de sable. Je t'assure que ta séance de défoulement n'en sera que meilleure.

J'ai vu l'émission avec Einstein ! C'était très impressionnant (j'ai haussé la cote d'écoute hors de la famille d'Einstein). Je me souviens de son explication à propos de son appareil pour capter les ultrasons émis par les chauves-souris. C'en était… renversant !

Ce n'est pas comme cette nunuche de Cristelle. Je la regarde semaine après semaine et ça ne s'améliore pas, ses histoires… Je ne l'écoute plus, remarque : je ferme le volume de la télé et je ne fais que la regarder…

J'imagine notre Coccinelle en train de faire une crise d'apoplexie en entendant Cristelle dire que ses cheveux « sontaient teindus ». Ayoye !

DE : Coccinelle

À : Ringo

Ooooh! Je suis si contente que ça fonctionne pour le match! J'ai trop hâte de vous revoir! Bonne idée de le dire à Pinotte. Je lui écris à l'instant.

À trrrrrès bientôt! (En vrai, en plus!)

DE : Coccinelle

À : Pinotte

Salut, ma belle Pinotte !

Grande nouvelle : je peux finalement assister au
match de Spatule le 30 octobre. Je ne le lui ai pas
dit, j'en ai seulement parlé à Ringo. Nous allons
lui faire la surprise. Et je me demandais, tant qu'à
lui faire une surprise… y a-t-il du changement
de ton côté ? Tu es sûre que tu ne peux pas venir
avec nous ? Sûre, certaine, convaincue ? Rien à
faire ? Imagine : nous quatre de nouveau réunis,
dans la vraie vie !

(Tu remarqueras, Ringo, que je fais de gros efforts pour te convaincre que je suis bonne *in english*!)

C'est bien étrange : personne dans mon entourage n'admet écouter l'émission de Cristelle, mais tout le monde sait toujours exactement ce qui s'est passé chaque semaine ! Bizarre, non ? ☺ Je partage ton exaspération, Spatule !

Vous entendre parler d'Einstein m'a rappelé cette superbe soirée sous les étoiles, vers la fin de l'été. Il nous expliquait les différences entre les constellations, et on s'est mis à se raconter des histoires, tout bas, tous les quatre. Je nous revois, couchés sur nos sacs de couchage, dans l'herbe humide. Il faisait un peu frais, juste assez pour que ce soit agréable de sentir le vent sur nos joues. On parlait de mythologie grecque et de légendes (encore une fois, je sais, quand je me lance sur le sujet, je ne peux plus arrêter). Je me souviens, sur le coup, avoir trouvé que c'était une bien belle soirée. À rebours, maintenant que je suis plongée dans ma routine, mes cours, mes devoirs, maintenant que je ne vous vois plus chaque jour, je me dis que c'était bien plus qu'une belle soirée. On touchait au bonheur, et on ne le savait même pas.

DE : Ringo

À : Mes amis

Très bien écrit, Coccinelle. Moi, je savais que,
ce soir-là, sous les étoiles et autour du feu (avant
d'aller dans nos sacs de couchage), je touchais
au bonheur : mon genou gauche était en contact
avec le genou droit de Pinotte.

DE: Spat

À: Vous autres

Depuis que vous n'êtes plus là, les jours raccourcissent et il n'y a plus de feux de camp pour éclairer mes nuits.

DE : Pinotte

À : Spat, et Ringo, et Coco

C'est bien joli, tout ça, mais avez-vous reçu
un appel de miss Mimosa en panique, vous trois,
hier soir? Elle n'a pas voulu laisser de message.
Mon frère m'a dit qu'elle avait l'air survoltée.
Dites-moi vite si vous lui avez parlé.

DE: Pinotte

À: Coccinelle

Je sais qu'on a promis de ne pas trop s'écrire
en privé, mais ce n'est que toi, Coccinelle, qui
peux vraiment comprendre ce que je ressens ce
matin. J'ai su hier soir que Kiwi sort avec Brindille
depuis le dernier jour du camp. Elle lui a dit: «Je
te kidnappe!» Il n'a pas l'intention de s'évader,
paraît-il. Remarque, ce n'est pas étonnant. Kiwi et
miss Parfaite. C'était écrit dans le ciel…

Pour le match de Spatule, pas de changement.
Impossible pour moi d'y aller.

Il ne faut pas que j'y pense…

DE: Pinotte

À: Ringo

Je sais qu'on a promis de ne pas s'écrire en privé, mais il faut que je te dise quelque chose. Au tournoi de badminton, il y a seulement six filles inscrites au tableau principal. Donc, si la compétition commence à 9 heures, fais un calcul rapide, vers midi, tout sera terminé! Une heure d'autobus et je suis à Victo. Et j'assiste au maaatch! Spat joue à quelle heure? Le sais-tu? Pas le matin, j'espère? Tout sauf le matin… Je dois vite le savoir. Ultrasecret, s'il te plaît. Ne le dis pas à Coccinelle. Je veux lui faire la surprise.

Bye, mon petit Ringo. En passant, le soir des étoiles, ce n'est pas moi qui étais assise à côté de toi, mais Brindille.

Mais c'était un moment magique… ça, c'est vrai.

DE: Pinotte

À: Spatule

Spat, c'était ton idée de ne pas s'écrire en privé,
mais je pense que c'était une fausse bonne idée.
Cette promesse-là, je ne pourrai peut-être pas
la tenir bien longtemps. Je suis certaine que
même les trois mousquetaires ne se confiaient
pas seulement quand ils étaient tous ensemble.
C'est impossible. D'ailleurs, je me demande si
les mousquetaires se racontaient tout.

Ils seraient peut-être jaloux de nous.

DE: Ringo

À: Pinotte

Je sais reconnaître un genou quand j'en vois un,
ma belle Pinotte, et c'était ton genou droit qui
était collé au mien (le gauche). Peut-être que
Brindille était du côté de mon genou droit. Et il y
avait TON cher Kiwi avec elle. Si je me souviens
bien, ils se pensaient tout seuls au monde, ces
deux-là !

Je te rassure tout de suite : le match de football
est en après-midi, à compter de 14 h 30. Tu as
amplement le temps d'arriver en autobus. S'il
le faut, j'irai te chercher au terminus, sur ma
moto Harley-Davidson. *Cool*, pas vrai ? Bon, j'ai
seulement un casque et il faut donner priorité
au chauffeur, mais si tu portes une casquette,
ça devrait aller… Mais non, c'est une blague :
je porterai la casquette et toi, le casque.

J'ai très hâte que mon genou gauche renoue avec
ton genou droit.

(Hum… en fait, Pinotte, je n'ai pas de moto Harley.
J'espère que ça ne te déçoit pas trop. J'ai seulement
un vélo une place. À moins que je demande à ma
petite sœur de te prêter le sien. Il est rose avec des
pompons au bout de chacune de ses poignées
blanches. Il a aussi deux petites roues à l'arrière

pour assurer une meilleure stabilité. Donc, tu ne devrais pas tomber.)

DE : Spatule

À :   Pinotte

Je n'ai pas pu tenir ma promesse, moi non plus. Je te confesse que j'ai parlé dans ton dos, dans celui de Ringo et dans celui de Coccinelle, mais ce n'est pas moi qui ai dit que Cristelle avait les cheveux « teindus ». Tout ce que j'ai dit, c'est qu'elle avait les dents croches.

Quand j'ai été accepté dans l'équipe de football, je me suis engagé à perdre une dizaine de kilos. C'était une promesse difficile à tenir, j'ai parfois triché, mais c'était quand même une bonne idée.

Ne pas s'écrire en privé était une promesse tout aussi difficile à tenir, mais ce n'était pas une fausse bonne idée ! (Ça fait beaucoup de négations, non ?)

DE: Spatule

À: Pinotte

Je « m'ai » trompé. Je voulais dire que ses dents « sontaient » croches.

(Et je viens de tricher une fois de plus!)

DE : Coccinelle

À : Pinotte

Pauvre cocotte ! Bien sûr que je te comprends…
Avec Brindille, en plus ! Il fallait que ce soit avec la
fille la moins sympathique du camp… Remarque,
entre toi et moi, Kiwi, il est très beau, mais il n'est
pas particulièrement gentil (je n'avouerai jamais
ça devant les gars, promis !). Qui se ressemble
s'assemble, paraît-il…

DE : Coccinelle

À : Les trois mousquetaires

Héééééé ! vous ne devinerez jamais qui j'ai vu
aujourd'hui… Ma mère est venue me chercher
après l'école (j'avais du théâtre) et on s'est arrêtées
à l'épicerie. Je tourne dans le rayon des surgelés…
et boum ! je fonce dans le Vieux Hibou ! Oui, oui,
le Vieux Hibou ! En personne. Dans les surgelés.
J'étais complètement sous le choc ! (C'est un
humain, c'est normal qu'il mange… Je ne sais
pas pourquoi, j'ai toujours cette impression que
les gens qui travaillent au camp sont rangés dans
un placard jusqu'à l'été ! Ça vous fait ça aussi ?)

Bref, j'ai pensé à toi, Pinotte, et je lui ai demandé
s'il avait trouvé ton appareil photo (il ne l'a pas).
C'est peut-être à ce sujet que miss Mimosa t'avait
appelée ? As-tu réussi à lui parler ?

J'ai jasé un peu avec le Vieux Hibou, et juste
comme j'allais repartir, il m'a dit : « Et comment
vont les autres mousquetaires ? » Ça m'a fait chaud
au cœur que même lui nous considère comme
l'inséparable Bande des Quatre. L'été prochain, on
devrait arriver au camp avec des chapeaux et des
capes ! Les monits insistent toujours pour qu'on
mette le paquet, côté costumes et personnages.
Ils seraient servis ! Un pour tous, tous pour un !

DE: Ringo

À: Vous trois, les autres mousquetaires

Ce serait super, ça: un été de capes et d'épées! Je réserve d'Artagnan! Pinotte, si *ton* Kiwi veut faire partie de la bande, il sera le Dartagnangnangnan! Et Brindille pourrait bien être son épée puisqu'elle est si mince.

Coccinelle, il faudra apprendre la tirage de Cyrano, tu sais, avec le nez et… Oups! Je me suis trompé d'histoire, je crois. C'est le comte de Monte-Crisco (Crisco, c'est comme la graisse, ça… Ma grand-mère utilisait du Crisco pour ses beignes… Pas étonnant qu'elle pesait plus de 150 kilos, la pauvre).

Là, je viens de me relire et je pense que c'est le comte de Monte-Cristo, non? J'ai l'air d'une vraie tarte à la pâte de Crisco, moi.

Re-Coccinelle: si tu as croisé le Vieux Hibou dans les produits surgelés, c'est sans doute parce qu'il voulait être cryonigé, cryogénisé, cryptogénié… Aaaaaaaaaaaaargh! Vous savez, comme la légende de Walt Disney, qui aurait été congelé à sa mort, même si ce n'est pas vrai. Bon, le Vieux Hibou désirait sûrement retarder les effets de l'âge sur sa peau ratatinée. Trop tard, Vieux Hibou!

Va-t-on finir par le retrouver, ce fichu appareil photo ? Je resoupçonne Kiwi du méfait.

DE : Spatule

À : Coccinelle (et aux autres)

C'est vrai que ça fait parfois bizarre de rencontrer des gens dans des contextes différents. Un jour, j'ai vu le directeur de mon école en «speedo», sur une plage. Il m'a semblé BEAUCOUP moins impressionnant que dans son bureau.

Mais ce qui serait VRAIMENT étonnant, ce serait de voir le Vieux Hibou sourire ou Kiwi s'intéresser à quelqu'un d'autre qu'à lui-même.

Message personnel pour Ringo : c'est la *tirade* du nez, pas la *tirage*!

DE : Coccinelle

À : Ringo-d'Artagnan, Spatule, Pinotte

Hé ! Tu me donnes une idée, Ringo : et si c'était toi qui gardais le fameux appareil juste pour avoir une raison d'obliger Pinotte à te voir… Hein ? C'est ça ? Je viens de trouver ?

Oui, oui, oui! On a une piste! Il faut trouver à qui profite le crime! Quelqu'un, quelque part, a mon appareil photo en ce moment. Où est-il? Mais surtout… pourquoi? Pourquoi n'a-t-il pas encore donné le moindre signe de vie? Est-ce un jaloux? Ou alors quelqu'un qui serait secrètement amoureux d'un de nous quatre? Je sais, je vois des histoires d'amour partout. Mais l'amour peut mener au pire. Et le pire peut nous pousser à voler un appareil photo. Cherchons.

Je promets 100 000 dollars à celui qui le trouve. (Je promets 100 000 dollars chaque fois que je perds mes clés aussi.) L'enquête démarre. Je fais des recherches actives pour avoir le numéro de miss Mimosa. Et je vais écrire à Kiwi pour savoir ce qu'il en pense. Je vous reviens bientôt.

Ce n'est pas toi, hein, Ringo? Je ne te trouverais vraiment pas drôle.

(Excuse-moi, mais dans le cadre de mon enquête, c'est mon travail de soupçonner tout le monde.)

DE: Ringo

À: Vous, les coupables

Non, ce n'est pas moi qui ai l'appareil photo, Pinotte. Sinon, je me serais déclaré coupable et j'aurais empoché les 100 000 bisous que tu as promis comme récompense. Euh… 100 000 dollars, pardon. Si ce vol était le fait de quelqu'un qui est amoureux de moi, j'espère seulement que c'est une quelqu'une!

DE: Coccinelle

À: Pinotte

Pinotte, ma belle Pinotte, crois-tu vraiment que ce soit une bonne idée d'écrire à Kiwi? Comme il sort avec l'autre, là, Brindille, ce serait peut-être plus sage de prendre tes distances… Qu'en penses-tu? Je t'adore, tu le sais, et je ne voudrais surtout pas voir ma Pinotte le cœur brisé…

Des nouvelles de miss Mimosa?

Dis donc, Spatule, je me rends compte, en regardant le calendrier pour voir combien de répétitions j'ai avant le spectacle, que le 30 octobre s'en vient à grands pas… Comment te sens-tu? Prêt pour le match? Avez-vous une bonne équipe? (Pour être honnête, je ne connais rien au football et n'y comprends pas grand-chose, tu peux juste me parler de la couleur de vos chandails, ce sera tout à fait correct!)

J'espère qu'un jour ton équipe viendra jouer dans Charlevoix, pour que je puisse aller te voir. D'ici là, Ringo sera le fier représentant des mousquetaires! (Penses-tu porter cape et chapeau à plumes pour l'occasion, Ringo?)

DE : Spatule

À : Tout le monde, mais surtout à Coccinelle

Nos chandails sont vert et or, je porte le numéro 57 et c'est vraiment dommage que vous ne puissiez pas venir. Nous avons une équipe formidable. La défensive est hargneuse, notre quart-arrière fait des passes poétiques (je te jure !), nos ailiers courent comme des gazelles et ils attrapent le ballon comme s'ils avaient de la colle dans les mains. En plus, nous avons un esprit d'équipe presque aussi puissant que celui qui unit la Bande des Quatre.

Je te donne un truc pour avoir l'air connaisseuse en football (ça vaut également pour le hockey) : avant le match, tu n'as qu'à affirmer que « les unités spéciales feront la différence ». Tu n'as pas besoin de savoir ce que ça veut dire. Les garçons seront très impressionnés.

DE: Ringo

À: Trio

J'aimerais l'entendre de la bouche de Coccinelle,
moi : « Les unités spéciales feront la différence. »
Alors, là, je serai impressionné !

DE: Ringo

À: Spatule

Spatule, quand tu vas venir à Victoriaville, est-ce que ça te tente de rester un peu après pour qu'on aille manger au restaurant? Je connais des personnes qui aimeraient bien te voir…

DE : Spatule

À : Ringo

Ce ne sera pas possible : nous allons tous manger au restaurant après le match, puis nous sautons dans l'autobus pour rentrer à Montmagny. Je ne peux pas laisser tomber l'équipe. Je suis sûr que tu comprends.

Mais qui sont ces personnes ? Aurais-tu des sœurs jumelles de mon âge dont tu ne m'aurais jamais parlé ?

J'espère en tout cas que toi, mon ami,
Tu ne rateras pas la partie !
Je te promets un quart-arrière écrapouti !
(Ça, c'est de la poésie !)

C'est une bonne chose que les filles ne puissent pas venir, à bien y penser : ça aurait été super frustrant pour moi de vous savoir tous les trois dans les estrades et de ne pas pouvoir aller vous parler !

Il faut absolument qu'on trouve un moyen de se revoir une autre fois. Ça devrait être possible dans le temps des fêtes, non ?

DE: Spatule

À: Pinotte

As-tu pensé qu'un des campeurs peut avoir pris ton appareil photo par inadvertance, en croyant qu'il lui appartenait? Miss Mimosa pourrait peut-être envoyer des messages aux parents?

Daaaah! Suis vraiment énervée! Tout est planifié! Tout est parfait! Je serai là le 30 octobre
vers 13 h 30! Et tu n'auras même pas à venir
me chercher avec ta grosse Harley-Davidson.
Mes parents viennent me conduire. Ils assistent
à mon tournoi de badminton, ensuite on file
à Victo. Le seul problème, et c'en est tout un:
mes parents! Ils veulent regarder le match de
foot! Pire, ils veulent manger avec nous après
le match! N'importe quoi! On dirait que j'ai
huit ans. Imagine les retrouvailles de la Bande
des Quatre avec mon père et ma mère...

Bon, je vais essayer de trouver une activité pour
les occuper.

Y a pas un musée, des ruines, une pyramide
à Victo?

Trop hâte de te revoir!

DE : Ringo

À : Coccinelle et Pinotte

HELP! I need somebody… HELP! Comme dans
la chanson des Beatles, tirée du même film! Je
traduis pour Coccinelle : « Au secours! J'ai besoin
de quelqu'un… Au secours! »

Je viens de faire une méchante gaffe. J'ai envoyé un
message à Spatule pour son match à Victoriaville
en lui demandant s'il pouvait manger au restaurant
après la partie… Et en précisant qu'il y avait des
personnes qui seraient heureuses de le voir…

Que me conseillez-vous? Vite, car il attend une
réponse.

Merci!

P.-S.P.P. (ce qui signifie post-scriptum pour
Pinotte) – Tes parents avec nous au restaurant?
C'est terrible! Aussi terrible que d'avoir dans
une même assiette du brocoli, des frites et des
croquettes de poulet! Pourquoi ne leur offres-tu
pas d'aller manger en amoureux au Luxor après
avoir visité le musée Laurier et le pavillon Hôtel
des Postes? C'est LE restaurant au centre-ville!
Nous, on se trouvera un autre endroit où l'on
sera à l'aise pour parler en mal de nos parents…
Hi! hi! hi!

DE: Coccinelle

À: Pinotte et Ringo

QUOI???!!!???

Je répète: QUOI???!!!???

Pinotte, tu viens au match? Tu m'avais dit que c'était impossible! C'est quoi, cette histoire de resto avec tes parents? Et pourquoi tu ne me l'avais pas dit? Donc, on sera là, tous les quatre, réunis, dans la vraie, vraie vie?

Yé!!!!!!!!!!!!!!!!!!!!!!!!!!!!!!!!

DE: Ringo

À: Coccinelle et Pinotte

Aaaaaargh! Pas une autre gaffe! Je les collectionne, ces temps-ci!

Coccinelle, dans ma tête (vide, je l'admets), je croyais que Pinotte et toi, vous vous étiez déjà entendues pour vous rejoindre à Victoriaville.

Oups…

Celle-là, cette indiscrétion-là, je ne peux plus la rattraper. Désolé pour la surprise ratée, Pinotte.

Par contre, on peut toujours en faire une à notre ami Spatule.

Pour cela, je devrai inventer une pirouette pour me tirer du pétrin. Je le répète : quelqu'un a une idée ? En fait, quelqu'une ?

Je pourrais m'en sortir « *with a little help from my friends* », comme le chantait si bien le vrai Ringo, celui des Beatles. Pour Coccinelle, ça veut dire : « avec un peu d'aide de mes amies »…

DE: Pinotte

À: Ringo, le paquet de troubles!

Merci, Ringo. Avec toi, les surprises, c'est un suc-
cès! Avoue que Spatule sait déjà tout et qu'il nous
attend le jour des retrouvailles. Heureusement, je
vous réserve une autre surprise et, cette fois, pas
question de t'en glisser un mot!

DE : Pinotte

À : Coccinelle

Je voulais te faire la surprise. Ringo a tout fait
rater. Mon match se termine à midi… Ouiii,
je serai là. Et je compte les dodos…

DE : Pinotte

À : Spatule et aux deux autres aussi puisque personne n'a de secret pour personne ☺

Es-tu prêt, Spat? Comment te sens-tu à l'approche d'un match si important? Confiant? Nerveux? Malade? Moi, j'ai beaucoup de difficulté à gérer la pression et le stress avant le match. Je n'ai jamais décroché de médaille d'or, pour cette raison. Je perds confiance. Je panique. Toi, au moins, tu as la chance d'être soutenu par une équipe. Moi, je suis toute seule à affronter mes démons. Je préférerais jouer au football, tiens! Imaginez, moi, Pinotte, quart-arrière... Si jamais tu souhaites me parler compétition, trac, protéines et défaite crève-cœur, je suis là, Spat. C'est mon lot depuis le primaire. Je vais penser à toi le 30. Mais pense à moi aussi. Un tit peu? Je veux l'or! Amuse-toi!

On se racontera tout...

Je te comprends, Pinotte! Ce qui me donne des sueurs froides, ce sont les exposés oraux. J'ai beau prendre de grandes respirations, je tremble comme une feuille aussitôt que je me trouve devant la classe. C'est comme ça depuis le primaire, et ça ne s'améliore pas en vieillissant!

Si j'avais un truc contre le trac (on dirait une publicité de Rice Krispies!), je te le refilerais!

À bien y réfléchir, j'en ai peut-être un.

Savais-tu que Ringo m'a envoyé une photo de son ami Charbonneau? Je l'ai collée sur un de mes sacs de sable, et ça met du piquant dans mes entraînements…

Pourquoi n'essaies-tu pas d'imaginer que ton volant est quelqu'un que tu détestes particulièrement? Tu dois sûrement penser à quelqu'un, non?

DE: Ringo

À: Vous autres, surtout à Pinotte

Bonne idée, Spatule! Si j'étais Pinotte et que je jouais au badminton, j'imaginerais volontiers la tête de Kiwi, en miniature, à la place du bout du volant. Et je peux t'assurer que mon drôle de moineau filerait à 200 kilomètres à l'heure!

DE : Spatule

À : Ringo

Pas sûr que ce soit une bonne idée : Pinotte ne voudrait sans doute pas frapper son Kiwi...

DE: Coccinelle

À: Pinotte, Ringo, Spatule

Bon, bon, bon… on recourt à la violence tout de suite, les gars! Quelle idée d'imaginer qu'on frappe sur quelqu'un! Essaie plutôt de prendre les choses du bon côté, Pinotte: de voir le bonheur que tu as d'être rendue si loin dans ce tournoi, le plaisir de jouer au badminton… Replonge-toi dans nos magnifiques souvenirs du camp et laisse-toi porter par cette énergie…

Je suis certaine que tout ça fonctionnera mieux que de penser frapper Charbonneau ou Kiwi.

Signé: Une experte

(Bon, j'avoue, je n'ai jamais joué au badminton et je n'ai jamais assisté à un match de football, mais j'ai une grande expérience des choses de la vie.)

(Bon, j'avoue encore, je n'ai pas une si grande expérience des choses de la vie, mais je sais que la violence ne mène à rien.)

(Bon, assez de parenthèses.)

DE: La super athlète Pinotte

À: Mes trois entraîneurs!

On m'a souvent donné ce truc pour les com-
pétitions importantes, Spatule. Mais mon pire
ennemi, c'est moi! C'est mon entraîneur qui me
répète toujours ça. Je te jure que le 30 octobre,
je vais arriver avec la médaille d'or! Je l'aurai au
cou! Crois-moi! Cette fois sera la bonne.

Ma médaille, tu vas la voir briller de loin!

Est-ce que j'ai gaffé à mon tour, là? Dans mon dernier message, j'ai écrit que j'arriverais avec la médaille d'or au cou le 30 octobre! Mon message est parti trop vite. C'est bien moi, ça. Pensez-vous que Spat a compris que j'y serai?

On est vraiment pourris dans les surprises, toi et moi, Ringo. Imagine si on se mariait!

Ha! ha! ha! ha! ha…

Bon. Pas drôle.

Je croise les doigts pour la suite. Peut-être que Spatule lira rapidement.

Pinotte: plus que quatre dodos avant le match! J'y pense tellement que j'ai du mal à dormir! Es-tu comme ça, toi aussi? Si oui, pense à moi à minuit pile, la nuit prochaine: on tentera de s'envoyer des ondes endormantes par télépathie!

Coccinelle: j'admire tes beaux principes et ta façon de voir le bon côté des choses, mais essaie donc de convaincre Charbonneau que la violence ne mène à rien!

Ringo: qui sont ces mystérieuses personnes qui veulent me rencontrer? Je sais que notre club a ses admirateurs, mais quand même pas jusqu'à Victoriaville! Ça m'intrigue! Attends un peu... ne me dis pas que tu as retrouvé la trace de madame Dionne et qu'elle a préparé des carrés aux dattes juste pour moi?

À : Spatule surtout,
mais aux deux complices aussi

Je me couche super tôt, mais je ne dors pas.
Je mange des pâtes, mais je n'ai pas faim. Je fais
semblant d'avoir hâte, mais j'ai mal au ventre.
Je joue la confiante, mais je sais que je vais tout
rater. Voilà comment je me sens la veille d'un tournoi, moi. Ma mère me dit toujours : « Amuse-toi. »
C'est ce que je te souhaite, Spatule. Amuse-toi
et donne tout ce que tu peux. Surtout, écris-moi
après ton match.

Écris-moi tout ! Tout. Tout.

DE: Pinotte

À: Coccinelle et Ringo

OK. Je pense que j'ai réparé ma gaffe. Tout est beau. Spat ne se doute de rien.

Tu vois, chère Pinotte, toi et moi, on a AUSSI ça en commun : on fait des gaffes ! Quand je t'ai lue, Pinotte, j'ai bien vu que tu voulais t'amener à Victoriaville avec ta médaille d'or au cou. Ce que je te souhaite, évidemment. Mais je préférerais mes bras autour de ton cou… Ça vaut bien des médailles d'or, ça, pas vrai ? Pas vrai ? Hum… surtout que tu me parles déjà de mariage. Ouf ! C'est rapide, ça ! Est-ce que je peux y penser un peu ? Bon, d'accord, si tu insistes, je vais dire OUI !

Je crois que, de mon côté, je vais laisser aller les choses pour ma gaffe. À l'approche du match, Spatule a autre chose à faire que de relire mes messages pour remarquer ce qui cloche… Si j'ai un peu de chance, et les doigts bien croisés, il devrait oublier l'histoire de ces « personnes » qui ont hâte de le voir.

Tout cela étant dit, je regrette sincèrement d'avoir gâché votre surprise commune, Coccinelle et Pinotte. J'en suis vraiment, vraiment navré. Je verse des larmes de tristesse… Je… Bon, faut pas exagérer, tout de même !

Faute avouée est à moitié pardonnée. Comme vous allez me pardonner toutes les deux, une moitié ajoutée à une autre moitié = un tout. Donc, faute avouée à deux filles est totalement pardonnée.

Merci beaucoup et bonne soirée !

DE: Coccinelle

À: Pinotte, Ringo, Spatule

Salut vous trois!

Je suis désolée d'interrompre vos échanges sportifs (et affectueux)... Pas de médaille à prévoir de mon côté, ni de match mémorable, ni de mariage... mais je dois absolument vous parler de quelque chose. Le metteur en scène qui monte *Cyrano de Bergerac* est un professionnel, un vrai de vrai, qui travaille dans de vrais théâtres, avec de vrais comédiens et tout! Imaginez-vous donc qu'il a demandé à me rencontrer après la répétition, hier. Vous me connaissez... J'ai tout de suite pensé qu'il voulait m'enlever le rôle principal parce qu'il me trouvait trop mauvaise ou quelque chose du genre...

Eh bien, je n'y étais pas du tout.

Au contraire.

Francis (c'est le nom du metteur en scène) voulait me proposer quelque chose d'assez génial... Il croit que j'ai du talent (ce n'est pas moi qui le dis, c'est Francis!) et il m'a demandé de m'inscrire à un atelier de théâtre qu'il donne cet été. Ça dure quatre semaines, on travaille avec des professionnels du théâtre, c'est super difficile d'y être accepté, mais Francis (le metteur en scène, vous suivez toujours ?) est prêt à pousser ma candidature… Il dit que c'est l'occasion d'une vie et que si je rêve de faire du théâtre plus tard, c'est la meilleure porte d'entrée.

Je suis déchirée.

Je devrais être folle de joie. D'abord, qu'il trouve que je suis douée et qu'en plus, il me propose cette activité fabuleuse. Mais si j'accepte, je ne retourne pas au camp l'été prochain. Je ne peux pas imaginer ne plus vous revoir, tous les trois…

J'aurais tellement besoin d'être avec vous, de discuter de tout ça avec vous, tout de suite, immédiatement.

Je fais quoi… ?

DE: Spatule

À: Coccinelle (et aux autres)

Tu dois y aller, Coccinelle! C'est peut-être la chance de ta vie! On se reverra autrement, j'en suis sûr! D'ailleurs, on se revoit autrement depuis qu'on a commencé ces échanges de messages.

Allez, Coccinelle, allez!

DE: Pinotte

À: Coccinelle

Hein? C'est non! Refuse! Dis à ton metteur en scène que tu es désolée, mais que tu es prise l'été prochain. C'est tout simple! Tu ne peux pas! C'est la vie. C'est comme ça. Appelle-le tout de suite.

DE : Pinotte

À : Coccinelle (cinq minutes plus tard)

Désolée, j'ai encore écrit trop vite. Je suis la pire amie. Ne passe pas à côté d'une telle chance, si c'est vraiment le rêve de ta vie…

Les gars, c'est vraiment l'enfer ! Coccinelle ne sera peut-être pas au camp l'été prochain. Elle ne peut pas nous faire ça. On fait quoi, là ? Ce n'est pas du tout un comportement de mousquetaire ! Il faut agir vite ! Ringo, *go !* Trouve les bons mots.

Nooooooooooooooon ! Tu auras l'occasion de faire du théâââtre une autre fois, mais pas pendant l'été ! Ne NOUS fais pas ça ! Ne ME fais pas ça ! On est la Bande des Quatre ! Pas la Bande des Trois ! Faudra-t-il demander à Kiwi d'occuper la place vacante ?

Pas d'accord ! Vraiment pas d'accord !

La Bande des Quatre sans Coccinelle, c'est comme les quatre mousquetaires sans d'Artagnan ou les Beatles sans Paul (tu vois, ce serait Yoko qui le remplacerait… Tu imagines les dégâts ?).

Spatule, Pinotte, ne laissez pas partir Coccinelle sans dire un mot !

Comme le chantait John Lennon : *You can't do that* !

Est-il nécessaire de traduire, Coccinelle ?

Je boude !

DE: Coccinelle

À: Vous trois

Vite, il faut qu'on se rencontre tous les quatre et qu'on discute de tout ça!

Je ne déciderai rien avant de vous avoir parlé.

Juste d'avoir décidé que je ne déciderais rien avant de vous voir, je me sens mieux. C'est un signe, non?

(Je change complètement de sujet, mais dis-moi, Pinotte, as-tu enfin des nouvelles de miss Mimosa? Qu'est-ce qui se passe avec cet appel intrigant?)

DE: Spatule

À: Coccinelle et aux autres

J'ai trouvé la solution, Coccinelle : négocie pour faire deux semaines de théâtre et six semaines avec nous ! On va t'en donner, nous, des cours de théâtre !

Plus que deux jours avant le match de football !

DE: Pinotte

À: Coccinelle, Spat, Ringo

J'ai parlé à miss Mimosa. Je vous raconterai tout,
mais en vrai. Par écrit, ce ne serait pas pareil.

Je n'arrête pas de penser à l'été prochain. Je fais
quoi, moi, si tu ne viens pas au camp, Coccinelle?
Garder des bébés? Tondre des pelouses? Vendre
de la crème glacée? Peut-être que je pourrais faire
le camp de badminton à Chicago?

On sera la Bande des Quatre, toujours aux quatre
coins du monde.

Triste.

Je ne comprends pas vite, mais j'ai fini par saisir des choses qui m'avaient échappé en lisant vos messages. Comment feras-tu pour arriver à mon match de football avec ta médaille au cou, Pinotte ? As-tu inventé une machine qui te permettrait d'être à deux endroits en même temps ?

Et qui sont les mystérieuses personnes dont parle Ringo ?

Êtes-vous en train de me monter un bateau ?

DE : Coccinelle

À : Hum... je me demande bien...

Cher Spatule, ce serait tellement plus facile ainsi...
Si on pouvait se voir bientôt tous les quatre, ce
serait bien moins compliqué! Je ne sais pas qui
sont les mystérieuses personnes que Ringo veut
te présenter, mais au nombre de fois où notre
ami parle de filles, es-tu vraiment surpris? Probablement des *cheerleaders* de son école, qui te
feront bien vite oublier notre absence, à Pinotte
et à moi! Quant à Pinotte, je pense bien que
c'est juste une façon de parler... Comme quand
on dit: «Attends de me voir avec mon nouveau
chandail...» On ne se verra pas vraiment, c'est
rhétorique... (Je t'expliquerai une autre fois le
sens de ce mot, Ringo, mes devoirs m'attendent!)

Concentre-toi, maintenant, Spatule. Deux petites
journées avant le grand match... Quand je pense
que vous allez être ensemble, Ringo et toi, j'en suis
verte de jalousie! (Il faut que je me calme d'ici ma
répétition; pas sûre qu'une Roxane au teint vert,
ça plaira à Cyrano!)

Promettez-moi que vous me raconterez tout dans
les moindres détails, les gars, OK?

DE : Coccinelle

À : Ringo et Pinotte

Bon, j'ai essayé de réparer les pots cassés… mais ce serait bien que vous fassiez un peu attention, mes cocos!

Côté pratique : on se rejoint où, quand, comment?

Je suis siiiiiiiiiiiiiiiiiiiiiiiiiiiiii énervée!

Belle tentative, Coccinelle, pour endormir Spatule. Mais avec le rhétorique… la rhétorique (?), tu viens de me perdre. Je pense que c'est une époque après le jurassique. Tu sais, les dinosaures? Mais je cherche le lien avec ta phrase. Possiblement que je suis dans l'erreur. Einstein aurait bien rigolé de mon ignorance (Spatule ne doit pas savoir davantage ce que c'est… Pinotte non plus).

Ce que je sais, par contre, c'est que le match de football débute à 14 h 30. Le terrain est derrière le cégep, rue Notre-Dame. Très facile à trouver. On pourrait se donner rendez-vous à 14 heures, sur les marches du collège, à l'entrée principale. Le vestiaire des joueurs des deux équipes est dans une aile éloignée de l'entrée. Aucun risque, donc, que vous soyez repérées par notre ami. De toute façon, il sera trop concentré à se préparer pour son match pour regarder les filles… Ça, c'est plutôt APRÈS la partie! ☺

Les places ne sont pas réservées. C'est premier arrivé, premier servi ou premier assis. Si vous avez des coussins pour que vos petites fesses supportent les bancs de bois pendant plus de deux heures, ce serait une bonne idée de les apporter.

C'est aussi confortable que lorsqu'on s'assoyait dans un canot – sur la planche – pour pagayer au lac cet été. Je vous préviens, les hot dogs sont infects et assez chers, merci. Mais la poutine, c'est la meilleure puisque c'est la nôtre, tout le monde sait ça.

S'il pleut, ou s'il neige, ou s'il grêle, le match a lieu quand même !

Avez-vous des questions ? Est-ce que mon plan vous convient ?

Rhétorique ou pas rhétorique, Spat a compris qu'on sera là. J'en suis certaine. Mais c'est trop tard. Je me demande si ça le motive ou si ça le stresse… On verra.

Comme je ne sais pas précisément à quelle heure j'arriverai, à cause de mon tournoi, oubliez-moi. Une fois là-bas, Ringo, je te texterai. Garde ton téléphone avec toi, là! En passant, mes parents assisteront au match! Je n'y peux rien. Je suis désolée. Attendez de les connaître. Mon père est un grand *fan* de foot. Ma mère répète qu'elle adooore faire «des activités» avec les jeunes. Je sais ce que vous pensez: c'est l'enfer! Dire qu'il y a des parents absents.

Bon, on annonce de la pluie pour samedi. Averses, orages et vent. Tant pis.

Je vous laisse. Ma mère est en train de vous faire des muffins…

DE : Coccinelle

À : Pinotte, Ringo, Spatule

Un gars de mon école m'a expliqué qu'il y a
une tradition au football. (Quoi ? Oui, ça m'arrive
de parler aux gars, pas juste à mes *chums* imaginaires…) Il m'a expliqué, donc, qu'avant un match
important, certaines écoles font un *pep talk* pour
encourager leurs joueurs. Connais-tu ça, Spat ? En
faites-vous à l'école ? Tout le monde se réunit dans
la cafétéria ou le gymnase, on motive l'équipe, on
crie, on chante, on met des affiches… C'est génial,
je trouve !

Comme je ne peux pas être au match de demain,
j'ai décidé de te faire un *pep talk* virtuel… *GO*,
SPATULE, *GO* ! TU ES LE MEILLEUR ! ON T'AIME !

DE: Coccinelle

À: Pinotte, Ringo, mais surtout à Spatule
(10 secondes plus tard)

ALLEZ, SPATULE, ALLEZ! ON EST AVEC TOI!
TU LES AURAS-RAS-RAS!

DE : Coccinelle

À : Spatule, mais aussi à Ringo et à Pinotte
(20 secondes plus tard)

HOURRA POUR SPATULE ! HIP HIP HIP ! TU ES
NOTRE CHAMPION !

DE : Coccinelle

À : Spat, Ringo, Pinotte (30 secondes plus tard)

VIVE SPATULE! VAS-Y, MON GARS! TU ES NOTRE HÉROS! OLÉ, OLÉ, OLÉ, OLÉ, OLÉÉÉÉÉÉÉÉÉÉÉÉ!

DE: Coccinelle

À: Pinotte, Ringo, Spatule

Fin du *pep talk*.

Ça t'a aidé, Spat ?

Tu te sens prêt ?

Bon match !

xxxxx

DE : Spatule

À : Coccinelle et aux autres

Merci, super Coccinelle! Je me sens prêt… et presque nerveux! (Bon, d'accord, super nerveux! Je vais relaxer en pensant aux carrés aux dattes de madame Dionne.)

La fois où j'ai eu l'air le plus fou: j'ai lu ton message en direct, Coccinelle, devant mon écran d'ordinateur et je hurlais tes encouragements (m'as-tu entendu, Spatule, dans le fond de ton Isle-aux-Grues?). Et là, mes parents sont entrés en coup de vent dans la pièce, sans cogner, évidemment, pour savoir ce qui se passait et pourquoi je criais ainsi.

Tentative ratée d'explications. Vous auriez dû voir la tête de mes parents. Et la mienne... Ouf! C'était très gênant! J'aurais bien voulu m'enfouir la tête dans le sable comme une autruche.

Mon cher Spatule, est-ce que ça t'encouragerait encore plus si Coccinelle et Pinotte t'envoyaient une photo d'elles déguisées en meneuses de claque (puisqu'elles ne seront pas au match à Victoriaville)?

Allez, les filles! Faites aller vos pompons! Je suis persuadé que notre Spatule sera encore plus motivé sur le terrain à chasser du Charbonneau et à lui rabaisser un peu le caquet.

Je... euh... nous voulons voir ça!

DE: Ringo

À: Mes amies

Subtil, le garçon, non? J'ai insisté sur le fait que
vous n'alliez pas être au match à Victoriaville
dans mon dernier message à la bande.

Non, ne me remerciez pas. Vous le ferez lorsque
vous viendrez à Victoriaville.

Au fait, j'aurai une petite surprise pour vous deux…

Mystère et boule de gomme…

DE: Coccinelle

À: Vous trois

Envoyer des photos de nous déguisées en meneuses de claque, Ringo? Pffft... tu peux toujours
rêver! Mais tu as vu bien mieux, de toute façon:
pendant l'été, tu nous as vues, Pinotte et moi,
costumées en perruches pour le grand jeu des
animaux. Tu nous as vues habillées en pirates
pour la journée spéciale thématique. Tu nous as
même vues déguisées en puce et en pou pour
le rassemblement, tu t'en souviens? (Personne
ne peut avoir oublié ça!)

Aucun élève de mon école ni aucun membre de
mon entourage ne peuvent se vanter d'avoir vu
tout ça! Je suis sûre que tout est immortalisé sur
l'appareil de Pinotte... (Grrr! Si seulement on
pouvait le retrouver, celui-là!)

DE: Spatule

À: Vous autres

Tes souvenirs ont réussi à me faire rire une fois de plus, Coccinelle : une Coccinelle et une Pinotte déguisées en pou et en puce, il fallait le faire !

DE: Coccinelle

À: Pinotte et Ringo

C'est demain!!!!!

Je n'en reviens pas! Je suis nerveuse… et
je n'aurai rien d'autre à faire que d'assister
au match, pourtant! Imaginez dans quel
état doit être Spatule!

J'ai trooooop hâte de vous voir! (Et de voir
ta surprise, Ringo… Tu m'intrigues!)

DE : Pinotte

À : Ringo et Coco

J'ai hâte, j'ai peur, j'ai mal au ventre, je ne dormirai pas de la nuit. Moi aussi, j'ai une super surprise pour vous ! À… demain ! ☺ Aaaah !

DE : Coccinelle

À : Ringo et Pinotte

ON Y EST ! À TANTÔT !

DE : Ringo

À : Coccinelle et Pinotte

Bienvenue à Victoriaville, les filles !

DE: Ringo

À: Spatule

Bienvenue à Victoriaville!

Je vous envoie ce message dans l'autobus qui me ramène à Montmagny. Pourquoi font-ils des claviers aussi petits sur les téléphones? Quand on a de gros doigts comme les miens, on peut écrire un mot d'un seul coup de pouce… à condition que ce mot soit *qwerty* ou *tyuiop*!

Tant pis, je m'essaie quand même. J'ai tellement hâte de vous écrire que je ne veux pas attendre d'être arrivé à la maison.

Quel match, et quelle journée! Wow! Je ne peux pas vous dire à quel point j'étais content de vous voir dans les estrades, les filles! Je me doutais un peu que vous seriez là, mais je n'osais pas y croire. Bravo pour vos efforts de diversion! Vous y êtes presque parvenus! Mon seul regret, c'est qu'on n'ait pas pu se parler plus longtemps. Avoir su, j'aurais demandé une permission spéciale à mon entraîneur pour que je puisse aller souper avec vous après le match, ou au moins aller manger le dessert, mais je ne pouvais pas non plus laisser tomber l'équipe, je suis sûr que vous me comprenez. Il faut absolument qu'on trouve un moyen de se voir!

Laissez-moi maintenant vous parler football (vous pouvez passer par-dessus le prochain paragraphe, les filles, mais n'oubliez pas de revenir!)

Réussir un sac du quart, c'est déjà un exploit. Mais trois fois dans le même match, c'est aussi rare qu'un éclair d'intelligence dans l'esprit de Kiwi ou un sourire dans la face du Vieux Hibou. Je dois avouer cependant que le bloqueur devant moi n'était pas de taille. Je n'avais qu'à lui foncer dessus pour l'écarter de mon chemin. Parfois, il tombait avant même que je le frappe. Il voulait sans doute s'épargner quelques bleus. Le demi qui protégeait Charbonneau était plus coriace : il n'était pas tellement plus gros, mais il était rapide et rusé. Il avait le don de me faire foncer à gauche quand son quart-arrière était à droite, et vice-versa… Quant à Charbonneau lui-même, il détalait comme un lapin quand il me voyait arriver. Mais je l'ai attrapé quand même, et solidement.

Vous êtes revenues, les filles? Je disais que j'avais plaqué solidement le damné Charbonneau, et trois fois plutôt qu'une. J'ai réussi chaque fois à lui glisser quelques mots doux à l'oreille. Voulez-vous savoir lesquels? Je vous les révélerai volontiers, mais il faut d'abord que vous me juriez de garder le secret!

P.-S. – Tes parents sont super sympathiques, Pinotte! Les muffins de ta mère sont presque aussi bons que les miens! Toute mon équipe s'est régalée!

DE : Ringo

À : Mon trio

Quel plaisir de nous revoir! C'était trop court.
Il faudra remettre ça un jour.

Et puis, qu'avez-vous pensé de ma surprise ?
Pas mal, hein ? J'ai senti un léger malaise,
les filles, quand je vous ai présenté Magalie…
Elle est drôle, presque aussi drôle que moi, en fait,
elle est belle, elle est intelligente (la preuve, elle
m'accompagnait) et c'est l'ex de Charbonneau!
Tout pour le déconcentrer, celui-là!

Ah! j'étais très fier de mon coup! Un véritable
trophée. Elle a accepté d'assister au match avec
moi quand elle a découvert que son ex-*chum*
flirtait avec toutes les meneuses de claque de
l'équipe de football.

Je suis d'accord, c'était la cinquième roue de
notre carrosse, la Yoko Ono des Beatles, mais
je voulais savourer pleinement mon triomphe.
J'ai été surpris, Pinotte, que tu ne lui adresses
pas la parole. Jalousie, peut-être?

DE : Pinotte

À : Ringo, Spat et Coccinelle

Jalousie ? Ha ! ha ! ha ! ha ! ha ! ha…

Non. Pas jalouse. Pourquoi jalouse ?

Le problème, Ringo, c'est que moi, j'ai TOUT fait pour qu'on soit SEULEMENT les quatre ! J'ai réussi à éloigner mes parents pendant nos retrouvailles et toi, tu débarques avec une Magalie sortie de nulle part, qui ne comprend aucune de nos blagues, qui ne rit jamais, qui soupire, qui a faim, qui lève les yeux au ciel, qui a chaud, qui demande l'heure et qui a hâte que notre rencontre se termine.

Et puis, ce n'est pas vrai que je ne lui ai pas adressé la parole. Je lui ai dit salut, en partant.

J'étais contente de vous voir, mais on dirait que maintenant je me sens encore plus loin de vous. J'avais hâte au tournoi, j'avais hâte à nos retrouvailles, j'ai hâte à quoi maintenant ?

En passant, Ringo, tu es le seul qui ne m'a pas demandé comment s'est déroulé mon tournoi de badminton, mais je te pardonne. De toute façon, je préfère ne plus en parler. Le bronze, c'est même pas une médaille.

Bravo encore, Spatule! Tu es mon idole. Et tu es l'idole de mon père, qui a adoré le match et qui veut absooooolument que tu viennes souper à la maison. Et ma mère veut que je me marie avec Ringo. Je leur ai expliqué qu'on était la Bande des Quatre et qu'il n'était jamais, jamais question d'histoires d'amour entre nous. Ma mère a ri. Elle dit qu'il n'y a pas plus aveugle que celle qui ne veut pas voir. Mon père a précisé que rien n'empêche Spatule de venir souper chez nous. Ma mère a ajouté: «Et rien ne t'empêche d'épouser Ringo un jour.» N'importe quoi, comme d'habitude, mes parents.

Je ferme. École demain. Routine. On se revoit quand? Dans 1 000 ans.

Pinotte, ma chère Pinotte, t'ai-je dit que j'adore ta maman ? Elle a visiblement bon goût et bon œil. Nous marier ? Elle est rapide sur le piton ! Si ta mère insiste, je peux bien lui faire ce plaisir-là. Et Spatule, qui est l'idole de ton père, pourra nous servir de témoin. Coccinelle, pour sa part, écrira nos vœux, puisqu'elle est la meilleure pour composer des histoires d'amouuuur.

Et Coco, tous les gars autour de nous, y compris moi, étaient impressionnés de t'entendre déclamer (tu sais, comme au théâââtre) : « Les unités spéciales feront la différence. »

Pinotte, je suis convaincu que ta maman sera déçue si tu invites seulement Spatule à souper chez toi. Elle voudra mieux connaître ton futur mari, et sa meilleure amie, Coccinelle.

Non, on ne vous laissera pas en tête-à-tête tous les deux, quand même !

DE: Pinotte

À: Coccinelle

C'est moi ou tout était un peu raté ? Même ma surprise. J'étais tellement contente d'arriver avec mon appareil photo enfin trouvé par miss Mimosa… et Magalie le laisse tomber sur le ciment. J'ai récupéré la carte mémoire. On verra bien pour la suite.

La Magalie de Ringo, ma stupide médaille de bronze, toi qui disparais mystérieusement, Spatule qui ne nous parle que trois petites minutes et mes parents dans le décor…

Tu devrais venir passer une fin de semaine chez moi.

Dis oui.

Je te comprends. Suis un peu triste aussi. Mais c'est toujours comme ça, quand on a trop d'attentes, non ? Noël n'est jamais à la hauteur de ce que j'espérais, mon anniversaire n'est jamais aussi magique que je le souhaitais, etc. Je suis tout de même très contente de vous avoir revus, tous les trois, même si c'était trop court. Mais maintenant, je m'ennuie encore plus.

J'essaie de trouver une date pour aller chez toi (entre mes répétitions de théâtre, ma danse, ton badminton, nos devoirs…). Et on s'arrange pour que ce soit à la hauteur de nos attentes, ma Pinotte, OK ?

DE: Ringo

À: Vous

Ah! Spatule, mon «plus» meilleur ami, Spatule!

Je regrette de n'avoir pas eu plus de temps pour te parler après le match, pour te dire l'immense plaisir que j'ai ressenti à te voir écrapoutir l'ignoble Charbonneau! Tu en as fait une tarte, carrément!

La première fois que tu l'as étendu au sol, je me suis retenu d'applaudir. Faut-il rappeler que tu jouais CONTRE l'équipe de MON école? Mais à l'intérieur, c'était l'ovation totale.

La deuxième fois que tu l'as frappé, alors, là, j'ai échappé un grand éclat de rire sadique tandis que c'était la consternation autour de moi. Quand j'ai constaté le malaise, je me suis retourné vers Pinotte et je lui ai dit: «Très bon, ton gag de la coquerelle!»

La troisième fois que tu l'as aplati, comment dire, j'ai poussé une sorte de cri de la victoire qui devait ressembler à NYAARKKKKKKKKKRA-TEUMMYYG (à quelques voyelles près)! J'ai failli courir sur le terrain pour aller te féliciter. Spatule, si tu avais été Pinotte, ben, je t'aurais embrassé!

Le plus drôle, et tu ne le sais pas, c'est qu'autour de moi, j'ai vu des victimes de Charbonneau rigoler entre elles, lever le pouce en l'air, et même applaudir et t'encourager. Un des élèves, Sammy qu'il s'appelle, a commencé à crier : « 1... 2... 3... On veut 4 ! » (quatre sacs du quart). Sammy a eu maille à partir avec Charbonneau depuis le début de l'année scolaire.

On a même hué l'arbitre quand il t'a donné une punition de 15 verges pour avoir rudoyé le quart. C'était très drôle !

Oui, tu as ma reconnaissance éternelle, mon cher Spatule !

DE: Pinotte

À: Coccinelle (entre toi et moi seulement)

Où étais-tu passée, toi, après le match ? Je te cherchais partout. Tu ne me caches rien, hein ?

On se disait toujours tout cet été. Et moi, j'ai zéro secret pour toi. As-tu croisé quelqu'un ? Je te connais assez pour savoir que tu étais chavirée, en tout cas…

J'attends ta réponse.

DE : Spatule

À : Ringo

Je viens de comprendre quelque chose! Le bloqueur qui me laissait passer n'agissait pas ainsi
pour s'éviter des bleus : il VOULAIT que je plaque
son quart-arrière! Mon exploit est donc moins
remarquable qu'il en avait l'air, mais ça en dit
long sur la «popularité» de Charbonneau!

DE : Ringo

À : Spatule

Tu es un fin observateur. Tu devrais participer
à ces émissions de télévision sportives où des
analystes baragouinent leurs connaissances
dans le domaine sans qu'on y comprenne rien.

Ça ne devait pas être trop évident, pour éviter
qu'on le remarque, mais en effet, le bloqueur
ne porte pas Charbonneau dans son cœur. À la
mi-temps du match précédent, Charbonneau a
humilié publiquement le bloqueur dans le vestiaire parce qu'il avait laissé passer une fois un
joueur trois fois gros comme lui.

Il lui fallait une leçon de modestie, à ce Charbonneau, et la rencontre fournissait l'occasion rêvée.
Et puis, entre nous, ce bloqueur, c'est un bon ami
à moi que j'ai aidé dans un devoir en français… Il
m'en devait une dans le bon sens… Et il en devait
une à Charbonneau… dans le mauvais sens.

Ce qui n'entache en rien ta performance. Peu
importe qui aurait été devant toi, il aurait passé
un sale quart… d'heure multiplié par quatre.

Et puis, c'est quoi ces mots doux que tu as glissés à
l'oreille de Charbonneau en l'écrasant ? On attend
toujours que tu révèles ton secret !

Je vais vous révéler enfin ce secret qu'aucun journaliste sportif ne vous dévoilera jamais : ce que dit le plaqueur au quart-arrière qu'il vient de plaquer… surtout si ce quart-arrière s'appelle Charbonneau !

La première fois, je lui ai délicatement soufflé à l'oreille que c'était une gracieuseté de tous ceux qu'il avait tabassés à son école. (Je n'ai pas donné le nom de Ringo. Vous comprenez sûrement pourquoi.)

Le deuxième plaqué lui était offert par tous ceux qu'il avait tabassés ailleurs qu'à l'école.

Au troisième, je lui ai soufflé à l'oreille (mais assez fort pour que tout le monde entende) qu'il avait une guédille au nez…

Je crois qu'il a compris le message : à partir du troisième quart, il lançait le ballon dans les estrades aussitôt qu'il me voyait arriver. Ça ne m'a pas empêché de le plaquer une fois de plus, remarquez. J'ai attrapé une punition de 15 verges pour ce geste, mais ça en valait la peine. Un pour tous, tous pour un !

DE: Ringo

À: Spatule, Coccinelle et Pinotte

Mon cher Spatule, mon héros! Je peux t'assurer que le lundi suivant le match – et la défaite cuisante de son club, de MON équipe, 45-6 –, Charbonneau avait perdu de son arrogance. Il ne se balade plus le menton en l'air dans les couloirs de l'école. Il a cessé d'intimider tout le monde et de nous plaquer dans les casiers juste pour rire. Le quart de notre équipe ne vaut plus grand-chose… Genre: un seizième plutôt qu'un quart.

Je vais aussi partager avec mes amis souffre-douleur ton message. Ainsi, Charbonneau saura qu'il aura rapidement de tes nouvelles, si jamais il a envie de recommencer ses frasques.

DE : Ringo

À : Coccinelle

J'espère que notre conversation d'homme à…
euh… fille (femme ?) t'aura fait changer d'idée et
que le théââââtre ne passera pas avant la Bande
des Quatre.

DE: Ringo

À: Pinotte

Dis donc, chère Pinotte, ce court salut de ta part
avant que l'on se quitte après le match, ben,
j'avoue que je suis un peu déçu, moi…

DE: Pinotte

À: Coccinelle

Ça ne va pas? Tu es bien silencieuse,
ma Coccinelle.

DE: Coccinelle

À: Pinotte

Tu as raison, il s'est passé quelque chose. Après le match. Je suis toute mêlée. Il faut absolument que je te parle. Pas sur Internet. En vrai. Le plus tôt possible.

DE: Spatule

À: Coccinelle

Ça va rester entre nous, je te le jure. Ce baiser
que tu m'as donné après le match, est-ce que
c'était vraiment un baiser d'amitié?

Vous avez envie de connaître la suite, n'est-ce pas ? Moi aussi !

J'ai peur cependant que nous devions attendre un peu...

Pour vous faire patienter, je vous offre mes deux recettes préférées !

Biscuits aux brisures de moustiques façon Spatule

Ingrédients

Guimauves

Biscuits Graham

Pépites de chocolat

Faire cuire les guimauves dans le feu de camp. Quand elles sont bien molles, les étendre sur un biscuit Graham. Saupoudrer de pépites de chocolat. Si la pâte de guimauve est encore chaude, le chocolat fondra juste ce qu'il faut. Déposer un autre biscuit Graham sur le dessus, de manière à former un sandwich. Avec de la chance, quelques insectes s'y agripperont au passage, ce qui fournira une source de protéines en prime.

Hamburgers aux boulettes de crapaud à la Spatule

Préparer les boulettes avec de la viande de première qualité. Faire croire ensuite aux jeunes campeurs qu'il s'agit de viande de crapaud. La plupart ne voudront pas en manger. Ce sera autant de gagné pour vous !

Auteurs : Alain M. Bergeron, François Gravel,
Martine Latulippe, Johanne Mercier

Illustratrice : Élise Gravel

Tome 1

Tome 2 – mars 2016

Alain M. Bergeron a aussi écrit aux éditions FouLire :

- Rire aux étoiles - Série Virginie Vanelli
- Le Chat-Ô en folie
- Mes parents sont gentils mais… tellement malchanceux !
- Collection MiniKetto - Ollie, le champion

François Gravel a aussi écrit aux éditions FouLire :

- Les histoires de Zak et Zoé
- Mes parents sont gentils mais… tellement mauvais perdants !
- Poésies pour zinzins
- Le livre noir de la vie secrète des animaux

Marine Latulippe a aussi écrit aux éditions FouLire :

- L'Alphabet sur mille pattes - Série la Classe de madame Zoé
- La Joyeuse maison hantée - Série Mouk le monstre
- Les aventures de Marie-P
- Émilie-Rose
- Collection MiniKetto - Une plume pour Pénélope

Johanne Mercier a aussi écrit aux éditions FouLire :

- Le Trio rigolo
- Le génie Brad
- Mes parents sont gentils mais… tellement paresseux !
- Zip, Héros du cosmos

MARQUIS

Québec, Canada

Achevé d'imprimer le 12 juin 2015

RECYCLÉ
Papier fait à partir
de matériaux recyclés
FSC® C103567

Imprimé sur du papier Enviro 100% postconsommation
traité sans chlore, accrédité ÉcoLogo et fait à partir de biogaz.

BIO GAZ
ÉNERGIE